SEGREDOS DO
IMPÉRIO
ASTECA

MATERIAL COMPLEMENTAR
ACESSE AQUI

Copyright © 2016 Felipe Boschetti
Direitos reservados e protegidos pela lei 9.610 de 19.2.1998.
Nenhuma parte deste livro pode ser reproduzida, arquivada em sistema de busca ou transmitida por qualquer meio, seja ele eletrônico, xérox, gravação ou outros, sem prévia autorização do detentor dos direitos, e não pode circular encadernada ou encapada de maneira distinta daquela em que foi publicada, ou sem que as mesmas condições sejam impostas aos compradores subsequentes.
2ª Impressão 2024

Presidente: Paulo Roberto Houch
MTB 0083982/SP

Coordenação Editorial: Priscilla Sipans
Coordenação de Arte: Rubens Martim
Edição: Ana Vasconcelos (ECO Editorial)
Diagramação: Patricia Andrioli
Imagens: Shutterstock

Impresso na China.
Foi feito o depósito legal.

Dados Internacionais de Catalogação na Publicação (CIP)
de acordo com ISBD

B742s   Boschetti, Felipe

   Os Segredos da Civilização Asteca / Felipe Boschetti. - Barueri: Camelot Editora, 2022.
   144 p. ; 15,1cm x 23cm.

   ISBN: 978-65-80921-42-3

   1. História. 2. Astecas. I. Título.

2022-2764   CDD 972.018
                                                       CDU 972

Elaborado por Vagner Rodolfo da Silva - CRB-8/9410

Direitos reservados ao
IBC – Instituto Brasileiro de Cultura LTDA
CNPJ 04.207.648/0001-94
Avenida Juruá, 762 – Alphaville Industrial
CEP. 06455-010 – Barueri/SP
Vendas: Tel.: (11) 3393-7723 (vendas@editoraonline.com.br)
www.editoraonline.com.br

SUMÁRIO

Apresentação 5

CAPÍTULO 1 - Os astecas e a Mesoamérica 7

CAPÍTULO 2 - Política e cotidiano 34

CAPÍTULO 3 - Agricultura e sociedade 52

CAPÍTULO 4 - Economia viva....................................... 61

CAPÍTULO 5 - Ourivesaria e tecelagem.......................67

CAPÍTULO 6 - As leis e o exército................................ 71

CAPÍTULO 7 - A cura e a natureza............................... 81

CAPÍTULO 8 - Sacrifícios e morte 88

CAPÍTULO 9 - Da matemática à astronomia............... 92

CAPÍTULO 10 - O zodíaco 96

CAPÍTULO 11 - Artes e arquitetura........................... 108

CAPÍTULO 12 - Cultura e religião...............................118

CAPÍTULO 13 - O divino e o profano..........................126

CAPÍTULO 14 - O domínio espanhol 134

CAPÍTULO 15 - Tradições e heranças......................... 140

Cabeça colossal olmeca, na antiga cidade de La Venta

APRESENTAÇÃO

O local onde se encontram a América do Norte e a América do Sul, e onde atualmente está localizado o México, abrigou uma poderosa civilização há centenas de anos.

Os astecas chegaram pelo norte no século XII e dominaram os povos que viviam na região entre os séculos XIV e XVI. Em 1325, construíram a capital do império, a cidade de Tenochtitlan, em ilhotas erguidas sobre o lago Texcoco. Em apenas dois séculos, os astecas se tornaram os poderosos senhores da Mesoamérica.

Essa incrível civilização venerava as montanhas e chegou a construir 25 templos em forma de pirâmide. Na agricultura, os astecas foram os pioneiros no cultivo do milho, tão comum no preparo das tortilhas mexicanas, e do cacau – para os astecas, o chocolate era uma bebida sagrada. Cultivavam ainda amendoim e tomates.

Nesta obra, mergulhe a fundo na origem, nas lendas, na medicina, arquitetura e costumes dos astecas. Conheça sua história, seu legado e curiosidades que estão presentes até hoje na cultura mexicana.

Ruínas de Palenque, no México

1
OS ASTECAS E A MESOAMÉRICA

ENTENDA O PASSADO DESSES POVOS E AS HISTÓRIAS E LENDAS POR TRÁS DE SUA FUNDAÇÃO

INTRODUÇÃO AO PASSADO

Quando os espanhóis chegaram em 1519, vindos da colônia espanhola de Cuba e ancorando na costa do Golfo do México, em um local próximo do que anos mais tarde seria o porto de Veracruz, não tinham ideia que topariam com uma das maiores civilizações do planeta, os astecas.

Considerada a última grande civilização mesoamericana da história, os astecas se estabeleceram na cidade de Tenochtitlán, que foi fundada onde hoje se situa a Cidade do México.

Por convicções religiosas e por estratégia, os astecas estabeleceram um governo centralista, cujo poder político e administrativo é concentrado nos órgãos centrais do Estado, em oposição ao conceito de federalismo, em que vários entes constituem o estado. Mais tarde o centralismo seria a base dos governos das épocas colonial e independente que hoje se mantém no México.

A CHEGADA DOS POVOS ÀS AMÉRICAS

Existem diversas teorias que procuram explicar como os seres humanos chegaram às Américas. A mais fundamentada trabalha com a teoria de que o homem tenha chegado através do Estreito de Bering, em uma época que os gelos cobriam parte do território da Ásia, fornecendo passagem segura para as Américas.

O posterior recuo dos gelos, no oitavo milênio a.C., modificou completamente as passagens utilizadas pelos seres primitivos, o que, por sua vez, gerou um completo isolamento do continente americano do resto do mundo.

Porém, não se podem descartar outros tipos de teorias, como a alternativa de que os contatos e as vias de penetração nas Américas tenham surgido pelos oceanos Pacífico ou Atlântico.

OS POVOS SEDENTÁRIOS

As atividades humanas nas áreas que hoje competem a países como México e Guatemala, por exemplo, remontam há mais de 20 mil anos quando os primeiros caçadores se estabeleceram ali.

Já por volta de 7000 a.C., os povos que antes eram nômades começaram a domesticar as plantas silvestres, deixando claro que no decorrer dos vários séculos os povoados deixassem seus hábitos de andarilhos e fossem adquirindo novos costumes, como uma agricultura sedentária.

A princípio nômades, ao longo de 5 mil anos os astecas passaram a se assentar permanentemente, aperfeiçoar suas atividades agrícolas e abastecer-se dessa cultura.

A MESOAMÉRICA

A Mesoamérica, durante longos séculos, foi ocupada pelos mais diversos grupos linguísticos e povos, que por sua vez compartilhavam de uma estreita relação política a fim de estabelecer laços comerciais e alianças militares.

O termo Mesoamérica foi utilizado pela primeira vez em 1943, pelo historiador Paul Kirchhoff, primeiramente para nomear os povos que habitavam a região da América Central, até o México.

Posteriormente, este termo é utilizado para dar significado à porção de terra que corre do Centro-Sul do México até as áreas mais afastadas e próximas da América do Sul, como Guatemala e Honduras.

OS ANTEPASSADOS E CONCORRENTES DOS ASTECAS

Outras civilizações ocuparam a Mesoamérica muito antes dos astecas e algumas deixaram um legado que até mesmo os influenciou. Conheça a seguir um pouco mais sobre as civilizações que moldaram a Mesoamérica e, junto com os astecas, dominaram as Américas até a chegada dos europeus.

OS OLMECAS

Os olmecas desempenharam papel fundamental dentro do crescimento das mais diversas civilizações ameríndias que existiam na região da América Central há mais de mil anos, justamente por serem uma das mais antigas que existiram por aquelas terras.

O intercâmbio cultural que os olmecas tiveram, não somente com os astecas, mas também com os teotihuacanos e até mesmo com os maias, outra das grandes civilizações pré-colombianas, influenciou o modo de vida desses povos de forma drástica e irreversível.

Prósperos na Mesoamérica, os olmecas se estabeleceram entre os anos de 1200 a.C. até 400 a.C., e é considerada por diversos especialistas e estudiosos como a civilização mãe de todas as outras culturas mesoamericanas.

Suas principais terras ficavam localizadas no Golfo do México, território que hoje forma os estados mexicanos de Veracruz e Tabasco. No entanto, seus domínios chegavam até as terras que hoje compõem a Nicarágua.

Entre as maiores contribuições dos olmecas, estão os deuses com formas híbridas de animais e homens, que tomaram forma também nas culturas asteca e maia, o chocolate e os jogos de bola.

A palavra olmeca é proveniente do termo "asteca olmeca", que significa "povo da borracha", uma vez que eles viveram em uma região repleta de seringueiras no centro-sul do México.

A CAPITAL SAN LORENZO

Os olmecas, assim como os outros povos mesoamericanos, possuíam sua capital. San Lorenzo ficava localizada próxima da costa do Golfo do México e seu auge foi entre os anos de 1200 e 900 a.C.

San Lorenzo foi o centro da civilização olmeca e o assentamento mais antigo desse povo. Por estar localizada bem no centro do território olmeca, era possível prevenir a cidade de sofrer inundações, o que fazia sua produção de recursos naturais muito mais abundante.

Algumas das principais manifestações artísticas dos olmecas, como as grandes cabeças gigantes esculpidas por aquele povo, se localizam em San Lorenzo. Alguns especialistas acreditam que as cabeças representam os antigos governantes e os homens de grande poder daquela sociedade.

O poder do rei podia ser dimensionado pela representação de uma máscara sagrada que assegurava a segurança do seu povo e pela fertilidade ininterrupta de seus milharais. Não só a riqueza era parâmetro de poder.

Em algum momento por volta de 900 a.C., as cabeças e troncos de olmecas dispostos em San Lorenzo foram desmantelados por machados e acredita-se que essa violência tenha sido um ato de vandalismo dos invasores estrangeiros.

LA VENTA

Após a destruição de San Lorenzo, os olmecas migraram para La Venta, que além de eleita como nova capital, passou a comportar uma população de mais de 18 mil pessoas. La Venta foi um dos mais notórios centros da Mesoamérica junto com San Lorenzo e também com Laguna de los Cerros.

Localizada ao leste, cerca de 60 quilômetros a nordeste de San Lorenzo e a 12 quilômetros da costa do Golfo do México, La Venta dominava as férteis planícies costeiras nas quais os olmecas plantavam milho, cacau, borracha, bem como colhiam o sal extraído das águas do oceano.

La Venta foi importante para os olmecas não só como centro econômico e capital, mas também como centro religioso. A pirâmide mais antiga de toda a Mesoamérica se encontra na cidade e, graças a essa pirâmide e outras feitas pelos olmecas, que os maias e astecas possuíam esse hábito.

OS COMÉRCIOS OLMECAS

Desde os tempos mais antigos, os povos conseguiram, graças às terras férteis e às distâncias facilmente superáveis, estabelecer uma rede de comércios que girava em torno de uma complicada geopolítica.

Estima-se que esse tipo de rede de comércios e trocas tenha se originado no segundo milênio a.C., com um modelo de intercâmbio cultural muito forte entre as elites de povos de diversos lugares.

Os olmecas, entre tantas outras culturas e excedentes agrícolas, comercializavam obsidiana, jade, serpentina, mica, borracha, cerâmica e até mesmo espelhos feitos à base de magnetita e ilmenita polidas.

Restos de produtos olmecas aparecem, de tempos em tempos, nas mãos de arqueólogos e historiadores em diversas regiões, como Tlatilco, em que foram achados artefatos e estatuetas olmecas enterradas junto a seus mortos.

AS ROTAS COMERCIAIS

Todas essas matérias-primas e mercadorias chegavam aos domínios olmecas de alguma forma, e uma delas era pelas rotas comerciais. Chalcatzingo, um dos mais amplos centros comerciais, possuía somente três rotas pelas quais boa parte de produtos eram transportados.

A primeira rota se dirigia para o norte, na região que hoje é chamada de Vale do México, e de onde os comerciantes traziam sal e obsidiana. A segunda grande rota se dirigia para o sul, na região de Guerreiro, de onde os comerciantes traziam diversas cargas de hematita, jadeíta e magnetita. A terceira e última grande rota se dirigia para uma região olmeca da costa do Golfo, localiza-da a sudeste.

Outro grande entreposto comercial olmeca foi formado em Teo-pantecuanitlán. Somente lá, uma alta carga de rochas e outros miné-rios como o estanho, o cobre e a jade erma transportados para o sul.

O LEGADO

O legado olmeca pode ser visto nas áreas da escultura, cerâmica e nas artes, além dos sistemas religiosos.

Os astecas e os maias, por exemplo, incorporaram em seu pan-teão o deus da Serpente Emplumada, que na cultura asteca se chama-va Quetzalcoatl e representava um dos maiores deuses do panteão.

As influências artísticas podem ser acompanhadas através da arquitetura, das pirâmides monumentais e dos sacrifícios e rituais, além dos esportes, mostrando um forte vínculo entre a maioria das civilizações e a especial e esquecida olmeca.

TEOTIHUACÁN

O povo de Teotihuacán foi um dos mais notórios da Mesoamé-rica, conseguindo alcançar seu máximo esplendor no período de 150 a.C. até 600 d.C., quando houve sua queda. Existem, no entanto, diversas teorias sobre a origem desse povo.

A teoria mais provável é que diversas tribos tenham migrado de diversos locais da Bacia do México, o que ocasionou o encontro de culturas e a formação de uma grande cidade, que assim, deu ori-gem a civilização dos teotihuacanos.

Enquanto Teotihuacán crescia, o resto da bacia do Golfo do Méxi-co ia sendo despovoado. Vivia na cidade cerca de 90% da população.

O SURGIMENTO DA GRANDE CIDADE

Teotihuacán é o sítio arqueológico que mais recebe visitantes nos dias de hoje. Localizada a noroeste do vale do México, a cidade chegou a um máximo de 200 mil habitantes, o que a converteria na sexta cidade mais populosa do mundo naqueles tempos.

Após 300 anos de sua fundação, a cidade já cobria uma área de 20 quilômetros e possuía bairros próprios para todos os tipos de construções e pessoas. Contemporânea dos maias, e anterior à civi-lização asteca, Teotihuacán recebeu influências de povos como os zapotecas e os olmecas.

A cidade possuía zonas centrais, nas quais ficavam as moradias da elite, os templos e as principais avenidas. A Avenida dos Mortos era a principal via de acesso, e ligava as zonas agrícolas a um grande compêndio de comércios e mercados, além de outras construções religiosas.

As pessoas mais simples viviam nos bairros mais afastados, que correspondiam às zonas agrícolas nos limites da cidade. As residências das pessoas comuns em Teotihuacán eram feitas para abrigar um grande número de pessoas, que geralmente variava entre 60 e 100 habitantes por moradia.

Entre as mais notórias construções estão a Pirâmide do Sol e a Pirâmide da Lua. Estima-se que esses locais fossem ligados pela grande Avenida, que possuía mais de 3 quilômetros de extensão e ladeava mais de mil outros templos e sepulcros.

O COMÉRCIO

O progresso e crescimento de Teotihuacán não vieram do dia para noite. Foram séculos de trabalho duro que vieram, por sua vez, da prosperidade de seu comércio, que tratava com grandes matérias-primas da região, como a obsidiana.

A obsidiana era retirada de Pachuca, região próxima à cidade, e negociada em amplas quantidades por conta de sua versatilidade. Com a obsidiana eram feitas lanças e outros tipos de armamentos que eram trocados com outros povos.

A importância do comércio em Teotihuacán era tamanha, que a cidade possuía em uma de suas porções um bairro inteiro dedicado somente à classe dos comerciantes e ao abrigo destes. Matrimônios ocorriam por conta de relações comerciais na cidade.

AGRICULTURA E DIETA

A agricultura e a subsistência em Teotihuacán eram das mais variadas. Produzia-se milho, feijão, abóbora, tomate, amaranto, abacate e pimenta, entre outros tipos de alimentos que também poderiam ser comercializados.

A dieta dos teotihuacanos era bem balanceada e aliava todos os vegetais, frutas e grãos que plantavam e colhiam, e a caça de animais para complementação de suas refeições. Veados, coelhos e porcos do mato eram muito apreciados dentro da culinária de Teotihuacán.

Outros produtos, como o sal e o cacau, também faziam parte da dieta, apesar de serem mais utilizados como outros tipos de mercadorias, assim como o algodão, por exemplo. Conchas, penas exóticas e outros materiais também entravam na categoria de mercadorias.

RELIGIÃO

Teotihuacán, assim como outras culturas Mesoamericanas, tinha seu complexo panteão recheado de deuses, que por sua vez possuíam os mais diversos poderes, histórias e funções dentro de suas crenças.

Ao contrário de outras civilizações, os teotihuacanos adotaram como figura maior do panteão uma fêmea. A Deusa Aranha era a divindade criadora de tudo para o povo de Teotihuacán, e era muito representada nos templos e murais da cidade.

Alguns historiadores e pesquisadores assumem que graças à cidade receber tribos de diversos locais, e ser formada por tribos de diversos pontos da Bacia do México, que o panteão tenha sido formado também da mesma forma.

Assim, muitas figuras se assemelham com as encontradas em outros povos da América Central, como o Deus da Serpente Emplumada, por exemplo. Para os astecas, era conhecido como Quetzalcoátl, enquanto para os maias era conhecido como Kukulcán.

A religião era levada a sério em Teotihuacán graças às proporções naturais do clima da região. As oferendas aos deuses da Chuva, por exemplo, eram seguidas à risca a fim de não irritar a divindade. O clima árido fazia com que a água fosse o recurso mais precioso e necessário ao povo de Teotihuacán.

Evidências encontradas nas dependências desses templos sugerem que sacrifícios humanos eram constantemente feitos a fim de apaziguar a ira dos deuses ligados a todos esses climas e fenômenos da natureza.

O LEGADO E DECLÍNIO

Teotihuacán é a lembrança deixada por um povo que cresceu e contribuiu para a criação de outras tantas civilizações mesoamericanas, com grandes obras nos campos da arquitetura, planejamento urbano e religião, entre outros.

Na lista de povos que absorveram e trocaram referências com os teotihuacanos estão os zapotecas, os toltecas, os astecas e os maias.

Os astecas viam Teotihuacán como a cidade que possuía a origem da civilização, adorando-a como local sagrado.

Alguns especialistas acreditam que Teotihuacán ruiu após um grande incêndio, feito por povos invasores. Outros acreditam que o fogo foi causado pela mudança de poder interno da cidade. No entanto, a cidade permaneceu habitada após o incêndio por mais de dois séculos até que fosse abandonada por motivos desconhecidos.

OS MAIAS

Os maias compõem, ao lado dos incas e dos astecas, o conjunto das três mais famosas e notórias civilizações pré-colombianas que já existiram. Com o título de "gregos das Américas", estabeleceram cidades-estados por diversas áreas da Mesoamérica.

É importante entender que, ao contrário dos astecas, os maias não possuíam um povo totalmente unido sob o comando de um único líder, caracterizando assim um império. Cada cidade-estado possuía sua autonomia e por diversas vezes os maias guerreavam entre si.

Estima-se que os maias ocuparam uma área que variava de 250 a 500 mil quilômetros quadrados, com mais de 30 grupos étnicos espalhados por todo esse terreno, em mais de 60 cidades-estados.

Essas cidades floresceram em crescimento descomunal no período clássico do resplendor maia, que foi entre os anos 250 e 900 d.C., abrigando milhares de pessoas em um fluxo constante de comerciantes, viajantes e guerreiros.

A SOCIEDADE

A sociedade maia não era tão diversificada quanto a dos incas, por exemplo, mas sua pirâmide social era semelhante em diversas cidades-estados, mesmo que elas se enxergassem como inimigas.

Os reis e governantes permaneciam no topo da pirâmide social, e comandavam as cidades-estados, sendo considerados intérpretes das vontades dos deuses e, por consequência, eram tratados como seres superiores e semidivinos.

A nobreza, muito rica e de prestígio, era composta pela elite social e tinha relação próxima com os reis e governantes. A nobreza podia exercer funções de prestígio, como comandantes militares, líderes religiosos e sacerdotes de alto escalão, ou mesmo administradores públicos de alta patente.

Abaixo da nobreza existiam as pessoas comuns que, de forma geral, eram apenas camponeses que realizavam o trabalho pesado das lavouras e exerciam a mesma rotina diariamente. Os escravos e os prisioneiros de guerra eram os únicos que não possuíam direitos e estavam abaixo dos camponeses na sociedade maia.

O COMÉRCIO

Os maias fundaram suas cidades-estados para funcionarem como verdadeiros centros comerciais da Mesoamérica. Nas praças das cidades, um mercado local abrigava os comerciantes da cidade e os que eram estrangeiros à procura de bons negócios.

O escambo e a troca de mercadorias dava vida às cidades que possuíam um amplo e rigoroso sistema de tributos e taxas a serem pagas aos reis, a fim de garantir o funcionamento da economia local.

Os maias não possuíam uma moeda corrente, no entanto, durante alguns períodos e em regiões específicas, os maias utilizavam grãos de cacau como forma de pagamento e como moeda de troca.

O cacau na sociedade maia era tido como fruto sagrado e consumi-lo era proibido para os que não fossem da nobreza. Isso porque os maias desenvolveram o chocolate com os grãos de cacau, que era uma bebida afrodisíaca e que possuía alto valor religioso e terreno.

A NOBREZA COMERCIANTE E OS PRODUTOS

Os únicos que eram considerados comerciantes profissionais na sociedade maia eram a nobreza, pelo fato de realizarem grandes viagens e expedições rumo a outras cidades para comercializarem produtos de alto valor.

Entre esses produtos estavam peles de jaguares, facas para sacrifícios, além de plumas e outros artigos considerados de luxo. A utilização desses bens por pessoas que não possuíam sangue nobre era crime, passível de punições severas que podiam até chegar à morte.

O comércio a longas distâncias era feito pela nobreza com o objetivo de aumentar o poder desses soberanos, bem como o da elite de forma geral. Bens preciosos e exóticos eram trocados entre famílias nobres e relações eram consolidadas, criando alianças poderosas entre reinos distantes.

Aos comerciantes que viajavam de cidade em cidade, e não

eram da nobreza, restava vender produtos que fossem produzidos por eles mesmos, como cerâmicas, tecidos ou até produções agrícolas, e mesmo o mel.

O mel, assim como o cacau, era um produto valioso para os maias e era comercializado em larga escala, uma vez que era misturado ao milho nas refeições e na dieta maia. Para garantir o abastecimento constante de mel, os maias desenvolveram até mesmo um sistema de colmeias artificiais, feitas à base de troncos ocos.

A GEOGRAFIA

O comércio maia sempre foi próspero e frutífero em praticamente toda a sua extensão territorial, graças à localização geográfica dos grupos étnicos maias. Hoje, os territórios pertencem a um total de quatro países, como Guatemala, Belize, El Salvador e Honduras.

Com uma diversidade surpreendente de climas e solos, os maias sabiam como aproveitar seus recursos e dispor do melhor para a produção alimentar.

Nas terras altas, onde o solo era muito fértil, podia-se plantar de forma ininterrupta enquanto nas terras mais baixas, cujo solo era pobre e infértil, era necessário degradar a terra com métodos agressivos de queimada para que pudesse se plantar novamente.

As terras altas também serviam para extração de obsidiana, jadeíta e outras pedras preciosas aos maias, que utilizavam esse material para modelar utensílios, armamentos e joias, entre outros objetos de uso diário.

O LEGADO

Atualmente ainda existem descendentes dos maias vivendo em pequenas tribos isoladas nos territórios dos países que ocupavam há séculos atrás. A única exceção é a Guatemala, país em que metade da população é considerada maia.

Entre os mais bravos feitos e invenções da sociedade maia, encontram-se os hieróglifos cravados em templos e diversas pedras sagradas, que compunham um sistema de escrita digno de ser considerado um dos mais complexos que a humanidade já viu.

Além da escrita, os maias dominavam os campos da astronomia, em que produziram um calendário preciso e semelhante ao moderno, o campo da medicina e o das artes, em especial o da arquitetura, que pode ser contemplado até hoje com as mais diversas e imponentes pirâmides e ruínas.

TOLTECAS

Os toltecas foram outra civilização que antecedeu os astecas e surgiu por volta de 900 d.C., nas terras altas do México. Os toltecas transmitiram seus ensinamentos e suas crenças através de toda a Mesoamérica, absorvidas de outros povos como os olmecas, os teotihuacanos e até mesmo os maias.

A maior parte das informações que se tem sobre os toltecas veio dos astecas, que clamavam ser descendentes desse antigo povo. As guerras e o escambo propiciaram a disseminação da cultura dos toltecas, exercendo forte influência em outras culturas presentes, hoje, no México e na Guatemala.

Não se sabe ao certo a origem dos toltecas, no entanto, sabe-se que vieram do norte e que pertenciam aos povos de língua nahua, e que durante muitos anos tenham aceitado os ensinamentos de uma classe sacerdotal originária de Teotihuacán. Culhuacán, seu primeiro assentamento, foi formado no Vale do México.

A doutrina dessa classe sacerdotal deixa claro como os toltecas absorveram e veneraram alguns deuses comuns ao panteão de diversos povos da América Central, como Quetzalcoatl ou o Deus da Serpente Emplumada, muito venerado também pelos astecas.

TOLLÁN, A CAPITAL

Tollán foi a capital do império tolteca e por muito tempo foi utilizada como principal centro cerimonial e social. Fundada em 950 d.C., e ocupando uma área de aproximadamente 14 quilômetros quadrados, a cidade chegou a conter mais de 60 mil habitantes em seu auge.

Espalhadas pela cidade, estavam os mais belos templos e construções que existiam, juntamente com diversos campos de bola. Recursos até então inéditos, como colunas e pregos arquitetônicos, foram utilizados de forma pioneira pelos toltecas em seus templos.

Tollán se desenvolveu com vocação para eventos profissionais e religiosos. No comércio , artesãos modelavam obsidiana, um mineral proveniente da lava vulcânica, em forma de facas e pontas de lança, além de outros objetos utilitários, como arcos, pratos, jarros e potes, que eram trocados no mercado central.

Pela grande extensão, pessoas de fazendas e vilarejos próximos vinham até Tollán para os muitos festivais religiosos. Sacrifícios humanos eram feitos na praça principal pelos sacerdotes. Esses sacrifícios já foram instaurados desde a fundação de Tollán, quando um governo militarista tomou forma, aliado às ideias de tribos que vinham do norte, se juntar aos toltecas.

Novos ritos, como a religião astral, o culto da Estrela da Manhã, a noção de guerra cósmica, os sacrifícios humanos e uma organização social militarista, foram trazidos pelos indígenas do norte.

A ECONOMIA E A HIERARQUIA

A sociedade tolteca vivia as bases de um crescimento constante feito através de guerras, do pagamento de tributos pelas regiões conquistadas, além do livre comércio dos produtos feitos e cultivados pelo povo.

Os nobres e as castas militares, além dos sacerdotes e membros dos cultos religiosos, eram a classe privilegiada da sociedade tolteca e graças a isso administravam e governavam as regiões conquistadas, vivendo dos tributos pagos pela população.

A camada mais inferior da civilização tolteca era formada por trabalhadores agrícolas e outras pessoas que tinham funções braçais, como artesãos, pedreiros, oleiros, pintores e tecelões, entre outros.

Sua economia era praticamente agrícola, o que tornava fundamental a conservação e manutenção dos campos irrigados, que possuíam complexos canais que transportavam água até as plantações de milho, feijão e amaranto. Todas as colheitas serviam tanto para o consumo interno quanto para o comércio.

No auge de Tollán sua população, de até 60 mil habitantes, disseminada em zonas periféricas, podia ter uma vida muito agitada. Viviam da agricultura, extração de basalto, fabricação de artigos de quartzo cristalino e da modelagem da obsidiana.

A ARTE

A arte tolteca seguiu os mesmos passos da arte dos teotihuacanos. Entre as principais criações dos toltecas estão os templos, as colunas antropomórficas, as cerâmicas, as pinturas e os entalhes em baixo-relevo.

A arquitetura tolteca foi responsável por templos e pirâmides entre outros tipos de construções. Suas casas eram feitas de terra e adobe, enquanto seus telhados de pedra eram moldados para suportar as chuvas e condições adversas.

Os estilos de arte e a arquitetura dos toltecas foram incorporados de Teotihuacán. A arte se mesclava com a religião na presença dos chacmool, grandes figuras de pedra de aparência humanoide que eram utilizadas nos sacrifícios humanos executados nos festivais religiosos.

O coração da vítima era arremessado dentro da tigela do chac mool, um tipo de estátuas de pedra pré-colombiana mesoamericanas, durante o sacrifício humano. Os templos exibiam em prateleiras os crânios das vítimas de sacrifício. Tais rituais foram incorporados às crenças religiosas dos astecas.

O DECLÍNIO

O império dos toltecas terminou entre 1150 e 1200 d.C., quando a cidade de Tollán foi invadida e incendiada. Os chichimecas, povo de língua nahua do qual se originaram os astecas, foram os responsáveis pela destruição da capital do império, o que forçou os toltecas a procurarem outro assentamento.

A partir desse ponto, os toltecas participaram, por meio de crenças religiosas e traços artísticos, do período pós-clássico maia, ao se deslocarem para regiões governadas pelos maias.

Ainda hoje algumas tribos indígenas nas montanhas do México realizam antigas práticas toltecas. Somados, existem mais de 5 mil toltecas espalhados pela região, e hoje se denominam Wirrarika.

TARASCAN

O império tarascano, conhecido nas línguas indígenas como Purépecha, se estabeleceu na região oeste do México ao mesmo tempo em que os astecas, por volta de 1350 d.C. Belicosos, os tarascos foram a civilização que mais se aproximou da força dos astecas, com um domínio de 75 mil quilômetros quadrados.

A história dos tarascos foi colhida através dos retalhos das tradições locais e dos achados arqueológicos encontrados nas regiões que ocuparam, bem como através da obra *Relación de Michoacán*, escrita pelo frade franciscano Jerónimo de Alcalá durante o século XVI.

Graças às enchentes dos lagos próximos às terras baixas nas quais os tarascos estavam assentados, a civilização se mudou para as terras mais altas, o que resultou em um crescimento de mais de 20 mil pessoas nas cidades que permaneciam fora do perigo.

TZINTZUNTZAN

A capital do império Tarascan foi construída nas terras altas a oeste do México, às margens do lago Pátzcuaro, na região de Michoacán, a uma altitude de 2.130 metros. Por meio de um sistema político centralizado, o rei comandava tudo da capital que era o centro administrativo, comercial e religioso do império.

Estima-se que sob suas ordens estavam mais de 80 mil pessoas dispostas em mais de 90 cidades de pequeno e médio porte localizadas ao redor do lago Pátzcuaro. Somente na capital Tzintzuntzan habitavam mais de 35 mil pessoas.

Para sustentar todas essas pessoas, projetos de terraceamento e irrigação foram implantados a fim de prover uma agricultura local de grande porte. De acordo com a obra do frade Jerónimo de Alcalá, a população da cidade e do reino era dividida em três grupos.

A realeza permanecia no topo da pirâmide e tinha poder absoluto sobre todos do império. Os reis e suas famílias residiam na capital e quando um rei tarasco morria, sua corte quase inteira o acompanhava pelos portões da morte.

Nessa viagem ao além eram sacrificados e enterrados junto ao rei aproximadamente 40 escravos, sete de suas escravas favoritas, seu cozinheiro e, por último, o médico que não conseguiu evitar sua morte.

O COMÉRCIO

Mesmo o império com mais de 80 mil pessoas precisava manter firmes suas importações, uma vez que a necessidade de alguns produtos foi significativa. Para tal, uma rede de mercados locais e um sistema de tributos assegurava que haveria quantidade suficiente de bens básicos aos tarascos.

Quanto ao seu abastecimento interno, os tarascos eram exímios no fornecimento de cerâmicas, conchas e metais. Nos mercados era possível comprar frutas, legumes, flores, tabaco, alimentos preparados, produtos de artesanato, além de matérias-primas como obsidiana, cobre e bronze.

Os tarascos fabricavam habilmente joias de ouro e prata, além de machados de cobre, graças aos conhecimentos que circulavam no oeste do México, provenientes da Colômbia e do Peru.

O CONTROLE DO ESTADO

Os tarascos foram os pioneiros nas técnicas de trabalho com metais e, por conta disto, o governo central controlava a mineração e a fundição de prata e ouro além dos bens produzidos com esses materiais.

Graças a achados arqueológicos em regiões mais ao sudeste e ao oeste em que foram encontrados bens materiais feitos destes metais, alguns especialistas acreditam que centros administrativos secundários e terciários tenham se formado para controlar o fluxo desses materiais.

O Estado também controlava a distribuição de terras e as minas de obsidiana, as florestas e as oficinas de artesanato e a pesca. No entanto, a quantidade de controle e de acesso a esses materiais que o governo teve ainda é desconhecida.

Diversos grupos étnicos se mantiveram dentro do império e permaneceram com suas identidades locais, o que em tempos de guerra mantinha o governo com a provisão de soldados e guerreiros para o exército.

O CONFLITO COM OS ASTECAS

Eventualmente era inevitável o encontro entre os astecas, que permaneceram como a última grande civilização mesoamericana da história, e os seus vizinhos do império Tarascan. A disputa por territórios e recursos foi intensa.

Os tarascos, empregando diversos subterfúgios como a espionagem, por exemplo, conseguiram fazer com que os astecas permanecessem retraídos, o que levou a um acordo sobre as fronteiras norte-sul entre os rios Lerma e Balsas, que seriam protegidos por fortificações.

Graças a essas fronteiras, a utilização de armas de metal e estratégias militares complexas, além de grandes fortes militares construídos para parar os avanços astecas, os tarascos conseguiram manter-se invictos contra o poderoso império asteca.

Apesar de toda a hostilidade, existem evidências de que eram realizadas trocas comerciais em pontos estratégicos entre as duas civilizações. O intercâmbio cultural, entretanto, é escasso a alguns poucos registros arqueológicos e há um punhado de vasos de cerâmica encontrados nos territórios dos dois povos.

EPIDEMIA

Assim como muitas civilizações naquele tempo, os tarascos sucumbiram à fúria espanhola. No entanto, não foram os soldados espanhóis que conseguiram tomar a capital Tzintzuntzan, mas sim as doenças.

Relatos escritos pelos espanhóis contam que quando Hernán Cortés se dirigiu para a capital asteca Tenochtitlan, enviou emissários a Tzuntzintzán para que formassem uma aliança militar. O rei, no entanto, ordenou que sacrificassem os espanhóis aos deuses sem saber que aqueles soldados estavam infectados com varíola.

Como resultado, a doença se deflagrou em uma grande epidemia e os tarascos foram praticamente dizimados, matando inclusive o rei que ordenou os sacrifícios. Como consequência, três anos depois, quando os espanhóis regressaram a Tzuntzintzan, o novo rei não ousou contrariar os homens que tinham derrotado os astecas e dizimado seu povo.

BERNARDINO DE SAHAGÚN E A ORIGEM ASTECA

Bernardino de Sahagún (1499 – 1590) foi um frade espanhol e historiador da Universidade de Salamanca, autor de uma das mais importantes obras, se não a mais importante, sobre a cultura asteca de toda a história.

História General de las Cosas de Nueva España foi um dos mais ricos relatos escritos por Bernardino sobre a cultura do povo mesoamericano e fundamental para o entendimento de diversos campos desenvolvidos pelos astecas, como a astronomia, a escrita, as artes e a medicina.

Em um dos últimos capítulos da obra, o frade espanhol relata as informações colhidas ao longo de anos de pesquisa junto aos indígenas da América Central, e em especial, as informações dispostas por um grupo de astecas que relataram como seus antepassados chegaram à Mesoamérica e quais foram as origens de seu povo.

O RELATO DOS ASTECAS

De forma resumida, os astecas informaram a Bernardino que em um tempo muito antigo diversas embarcações chegaram pelo mar com seus antepassados através do Golfo do México, vindos de Tamoanchán.

Os imigrantes e seus deuses desembarcaram em Panutla, que significa "lugar dos que chegaram pela água", e hoje se localiza em Sierra Madre Oriental. Costearam o litoral e foram em direção ao sul até fundarem Tamoanchán, cidade com o mesmo nome do local mítico de onde vieram.

Após anos vivendo na nova Tamoanchán, os deuses voltaram ao "oriente", os abandonando. Os deuses também levaram os livros mágicos e até mesmo os sábios para além-mar, na promessa de que quando o mundo estivesse para acabar, retornariam com os códices sagrados.

No entanto, quatro anciãos chamados Oxomoco, Cipactonal, Tlaltetecuin e Xuchicahuaca permaneceram e reescreveram alguns dos livros sagrados, dos quais os astecas se serviram por toda sua história.

Muito tempo após os antigos escreverem os livros, Tamoanchán começou a ser abandonada graças às condições climáticas adversas. Os olmecas foram a primeira das tribos a deixar a cidade mítica, tornando-se a primeira grande civilização da Mesoamérica.

Outros grupos partiram também e fundaram outros locais de grande notoriedade. Um deles, por exemplo, fundou a grande cidade de Teotihuacán, que é considerada um dos maiores mistérios de toda a antiguidade.

Os astecas, assim como diversos povos da etnia nahua, se abrigaram mais ao norte, em um local chamado Chicomoztoc. Os habitantes de lá foram conhecidos como chichimecas, que significa "bárbaros".

Sendo o último povo a deixar Chicomoztoc, ou "As Sete Cavernas", como era chamado também o local, os astecas criaram durante sua estadia naquela região o mito de que seriam de Aztlán, apesar de que ninguém sabe especificar onde este suposto berço asteca se localiza.

A denominação asteca veio justamente dessa lenda e significa "povo de Aztlán". De lá, partiram para o coração da América Central, e não foram reconhecidos por nenhum dos outros povos que estavam já instalados na região, o que os obrigou a guerrear para conquistar sua porção de terra.

E foi deste modo, através de infinitos trabalhos e peregrinações, que os astecas contaram a Bernardino de Sahagún como conquistaram o Vale do México, e se tornaram uma das maiores civilizações mesoamericanas da história.

TAMOANCHÁN, A CIDADE MÍSTICA

Tamoanchán é um dos mais fundamentais e importantes mitos de toda a cultura asteca, por ser considerada pelos ameríndios a cidade sagrada e pátria mítica dos deuses e dos homens, e por consequência, ser o local de origem do povo asteca.

Tamoanchán seria, de acordo com os astecas, uma espécie de paraíso do qual provinham os seus antepassados, e até hoje ninguém sabe especificar a real localização de tal éden. Etmologicamente, a palavra é traduzida normalmente como "buscamos nossa casa".

De acordo com as descrições na lenda, nesse paraíso, os filhos do deus Ometeotl – Senhor e Deus da Dualidade – não conheciam a velhice nem as tristezas de uma vida mortal. Era um lugar muito enevoado e que em seu centro pairava Xochitlicacán, a enorme árvore cósmica.

Certo dia os filhos do deus decidiram desobedecer ao soberano e cortaram rosas e ramos por conta própria. Graças a isso, a árvore cósmica rachou e de seu tronco voluptuoso caiu uma seiva abundante.

Os deuses, por cometerem tal infração, foram expulsos deste paraíso e condenados a vagar pela Terra e depois ao inframundo, onde passariam a eternidade. O tempo, entendido de forma terrena, começou a contar a partir desta data.

Para que os deuses e os homens não fossem extintos totalmente pela morte, o deus supremo instaurou a procriação pelas relações sexuais.

AZTLÁN, O BERÇO PERDIDO

Outra lenda que se desenvolveu dentro da cultura asteca foi a de Aztlán. Berço perdido da civilização asteca, Aztlán significa "lugar das garças" no antigo idioma Nahua, falado por todas as tribos de descendência chichimeca.

Os chichimecas eram a designação de sete tribos que viviam em sete cavernas em Aztlán. As tribos eram os acolhua, os tepanecas, os xochimilca, os tlalhuica, os tlaxcalans, os chalca e os astecas, e todos eles viviam em conjunto na cidade sagrada.

As tribos viviam uma existência simples de caçadores e coletores de alimentos quando, sem motivos aparentes, seis das sete tribos deixaram Aztlán para buscar outro local para residirem. Uma das possíveis razões seria o sofrimento causado pelas longas secas e a dificuldade de achar alimento.

Assim, cada tribo se estabeleceu em uma região do Vale do México. Já os astecas esperaram uma mensagem dos deuses para saírem de sua tão querida Aztlán, até que 300 anos depois da saída das seis tribos, por volta do ano 1100 d.C., uma águia veio até a caverna e gritou a eles que iniciassem sua viagem.

LENDAS ASTECAS: A BUSCA PELA TERRA PROMETIDA

Alguns relatos afirmam que os astecas foram os últimos a deixarem Aztlán na data que corresponde ao primeiro registro do calendário asteca. Outras lendas dizem que a viagem começou junto a todas as tribos em Aztlán e que, posteriormente, elas se separaram.

Confira algumas das lendas e mitos sobre a fundação da sociedade asteca, sua peregrinação e sua separação das outras culturas-irmãs mesoamericanas. Todos os relatos e falas presentes nas lendas são de autoria de A. S. Franchini, na obra *As melhores histórias das mitologias asteca, maia e inca*, que as utilizou como um melhor subterfúgio para as narrativas astecas.

A LENDA DE HUITZILOPOCHTLI E O INÍCIO DA PEREGRINAÇÃO

A primeira lenda asteca sobre a peregrinação até o local prometido começa com a figura mitológica de Huitzilopochtli, que alguns historiadores creem que antes de ascender como um deus teria sido um xamã do povo asteca, que teria falecido logo no começo da peregrinação.

Os restos mortais do suposto deus teriam sido levados, junto ao povo asteca, pelos teomamas (carregadores oficiais das relíquias divinas), enquanto guiava-os mesmo morto pelos caminhos íngremes do México.

Em uma dessas relíquias estava um saco contendo as cinzas de Huitzilopochtli, que lançavam conselhos sobrenaturais aos peregrinos para não desistirem de seu propósito.

Uma das teomama era Chimalman, uma sacerdotisa que fazia parte da seleta parcela que carregaria os tesouros do deus. Esse nome é comumente associado à deusa Coatlicue, que é tida como mãe de Huitzilopochtli, no entanto, muitos acreditam se tratar de uma mulher e não da deusa.

A ideia da viagem partiu do próprio Huitzilopochtli, que devido a alguma adversidade climática, ou dificuldade de encontrar alimento, deu aos astecas a tarefa de convencer os líderes das tribos Nahua a partirem em busca de outro local.

Deixaram Aztlán em botes, uma vez que a cidade ficava no centro de um lago, e se lançaram na peregrinação. Iniciada a jornada, os astecas peregrinaram por muitos e muitos anos, sempre aceitando as dádivas e os presentes de seu deus guia.

O deus também ordenou, após presentear os astecas com armas como arcos e flechas, que lutassem contra os mimixcoas (uma das muitas tribos mesoamericanas) e que fizessem de seus corpos e seu sangue o alimento dos deuses, instituindo assim o novo e terrível hábito do sacrifício humano.

A fim também de enaltecer e homenagear o deus, os astecas modificaram seus nomes. Nomearam-se Mexicas, que de acordo com as lendas, era uma contração de Mexitli, o segundo nome de Huitzilopochtli.

A ÁRVORE TOMBADA E A SEPARAÇÃO DAS SETE TRIBOS

Em outro episódio da peregrinação asteca pelos vastos vales que compõem a Mesoamérica é explicado como as tribos se dispersaram e os motivos que levaram à separação dos Chichimecas em todas aquelas direções após a saída de Aztlán.

Após deixarem as famosas cavernas da cidade fantástica, os peregrinos astecas marcharam até alcançarem um local agradável e de clima ameno. Ali, ergueram um templo em homenagem a Huitzilopochtli e descansaram sob a copa de uma imensa árvore que possuía galhos laterais idênticos a braços humanos.

Suas raízes eram tão profundas que adentravam a terra até alcançarem as profundezas do Mictlán, o nono e último recesso do Inframundo. Já a sua copa alcançava o décimo terceiro céu e era coberta de orvalho.

Porém, preocupados apenas em saciar sua sede de poder e de autoridade, discutiam questões sobre quem iria liderar a grande marcha rumo ao local prometido. Chimalman, a sacerdotisa que carregava uma das relíquias sagradas do deus Huitzilopochtli, guardava para si a raiva e seus gritos irados, ao perceber que havia algo de errado com a colossal árvore.

A discussão ia de vento em popa por assim dizer, até que em dado momento, a árvore cósmica estalou fortemente e partiu-se no meio. A rachadura simbolizava que era a vontade de deus separar os astecas dos demais povos.

Atônitas pelo acontecido, as sete tribos se dispersaram em todas as direções enquanto tentavam escapar dos enormes galhos e do tronco que se partia e caía por sobre suas cabeças. Chimalman, uma das encarregadas das relíquias do deus, observava a catástrofe com ares de quem identifica um castigo divino quando este acontece.

Ao redor do templo construído em homenagem ao deus, os chefes das outras tribos, temerosos, pediram clemência à divindade, que não tardou a se pronunciar: "Apartai-vos do meu povo asteca, pois só ele é o meu povo!", proclamou a divindade no diálogo criado por A. S. Franchini, na obra *As melhores histórias das mitologias asteca, maia e inca*.

Os chefes das outras tribos, chorosos e incrédulos, aceitaram a decisão divina e partiram cada qual com sua tribo para uma direção completamente diferente da outra, em busca de seu lugar ao sol.

"Diz a história que as tribos expulsas acabaram por chegar antes que os astecas ao centro do México, onde se estabeleceram em diversos lugares. Mas aos servos de Huitzilopochtli estaria reservado o melhor quinhão", completa A. S. Franchini em sua obra.

A ÁGUIA E O CACTO: O LOCAL DA FUNDAÇÃO

Após a separação das outras tribos chichimecas, os astecas vagaram por séculos sem ter um local para chamar de casa, até que ficaram conhecidos como "O povo cujo rosto ninguém conhecia".

Procuraram os toltecas para se misturarem com a perdida civilização, sob as ordens de seu deus, uma vez que para os astecas, os toltecas eram um povo nobre e de grande valor. Em 1299, foram expulsos de Chapultepec após 19 anos de conflitos com os tepanecas.

Foram, assim, realocados para Tizapán pelo rei de Culhuacán, chamado Coxcoxtli, que passou a tratá-los praticamente como escravos, dificultando a vida dos seus tributários.

Tizapán era inóspita e fétida. Situada ao sul da Cidade do México, a região não passava de um pântano charcoso e cheio de animais peçonhentos. As cobras dominavam a região em um número tão abundante que precisariam de um exército para contê-las. No entanto, a tarefa para os astecas parece uma piada: devido à fome severa, devoraram todas as cobras de Tizapán, com ovos de moscas e larvas de mosquitos, causando espanto no senhor de Culhuacán.

Por volta de 1323, alguns anos antes de fundarem sua gloriosa cidade, os astecas trabalhavam como mercenários nas diversas guerras que ocorriam no vale do México. Em um dos mais sinistros episódios sobre a independência e a crueldade do povo asteca, a filha do novo soberano de Culhuacán foi pedida em casamento pelo próprio deus asteca Huitzilopochtli.

O soberano aceitou a oferta dos astecas, a fim de ver sua filha elevada à categoria de deusa, ao lado da divindade asteca. Em três dias, foi aos domínios astecas com uma grande comitiva a fim de ver a filha ser venerada.

Adentrando no recinto, o soberano viu um vulto parecido com sua filha, mas ao se acostumar com a escuridão, viu uma das mais fortes cenas descritas nos códices astecas." [...] diante de si estava, na verdade, um sacerdote vestido com a pele esfolada da sua filha, a requebrar-se em horrendos trajeitos rituais", conta A. S. Franchini em sua obra.

Depois desse episódio, os astecas guerrearam com Culhuacán e perderam, tendo de vagar novamente em busca de outro lar, até que se depararam com uma visão translúcida, como um sinal de seu deus.

Dentro de um lago, havia uma águia trepada em um cacto de frutos vermelhos, o que, na interpretação deles, seria o local prometido ao final da sua peregrinação.

Segundo relato da escritora Barbara A. Somervill, na obra *Empire of the aztecs*, para os astecas, a águia representava o sol e seu deus sol, Huitzilopochtli. O cacto representava os corações que eles iriam oferecer ao deus. E o pássaro nas garras das águias representava os guerreiros inimigos caídos que iriam fornecer os corações. De fato, após os astecas construírem sua capital no centro do lago, tiveram de se sujeitar por mais alguns anos aos tepanecas. A sujeição acabou somente quando, através de uma aliança, se converteram nos senhores da América pré-colombiana.

TENOCHTITLÁN, A CAPITAL DO GRANDE IMPÉRIO

A região que hoje é chamada de Vale do México possuía cerca de cinco lagos. Os astecas optaram por se assentar em duas das ilhotas localizadas no centro do lago Texcoco. Destas ilhotas nasceu uma das maiores potências da Mesoamérica.

A cidade de Tenochtitlán foi fundada pelos astecas naquele terreno instável em 1325 d.C., e foi a maior cidade mesoamericana da história. Em seus tempos áureos, conseguiu um montante de mais de 200 mil habitantes em suas terras.

A cidade, no começo de sua construção, possuía apenas cinco milhas quadradas e foi nomeada Tenochtitlán graças à palavra Tenochtli, que na língua Nahua significa "cacto". Tenochtitlán também estava situada no interior de um lago, tal como Aztlán, cidade natal dos astecas. Além da religiosidade, outra explicação possível para a construção da cidade em meio ao lago tem relação com a cosmologia asteca e sua visão do cosmos.

A cidade era como uma ilha rodeada de água, reproduzindo, assim, a concepção da própria Terra.

No entanto, os astecas povoaram as ilhas no meio do lago também por motivos estratégicos valiosos para sua sobrevivência, já que era ideal para o cultivo agrícola, e para a guerra, uma vez que na ilha era mais difícil de se defender.

Ruínas do Grande Templo de Tenochtitlán, um dos principais templos dos astecas

A ENGENHARIA E OS SISTEMAS DE TRANSPORTE DE ÁGUA

A fim de expandir seus domínios e fundamentar as bases de sua capital, os astecas desenvolveram um grandioso e ousado projeto ao construírem sua cidade acima das águas do lago entre as duas ilhotas, uma vez que os materiais de construção eram difíceis de encontrar. A cidade-ilha dos astecas se assemelhava a Veneza, na Itália.

A engenharia empregada foi tamanha, que através do sistema de chinampas, os astecas foram capazes de expandir a cidade fazendo dos canais entre as pequenas ilhotas, suas vias, nas quais serviam de rotas para o transporte de comidas, serviços e até mesmo de exércitos.

As obras hidráulicas serviram para sustentar um sistema de agricultura que possuía o mesmo conceito da construção das cidades. As chinampas eram pequenas ilhas artificiais construídas em água rasa para que os agricultores pudessem cultivar suas colheitas. A água doce e salgada não se misturava jamais.

Um dique de 15 km foi construído por Moctezuma I (1440–1469), a fim de evitar que as águas salgadas do lago Texcoco contaminassem as águas doces dedicadas ao cultivo.

A SUSTENTABILIDADE ASTECA

Não se sabe se os astecas possuíam tal preocupação em se tratando de sustentabilidade, mas sabia-se que eram higiênicos a ponto de possuírem um verdadeiro batalhão para a limpeza das plataformas e dos espaços públicos. A cidade de Tenochtitlán era varrida diariamente por cerca de mil trabalhadores.

Outro grande exemplo de sustentabilidade vinha da reutilização dos resíduos e da não poluição do lago. Em Tenochtitlán os astecas colocavam o esgoto e o lixo em barcaças, enquanto a maior parte desse esgoto tornava-se fertilizante para as chinampas e as hortas.

Os astecas se banhavam todos os dias, o que na época era uma completa novidade na Europa, e utilizavam preparados à base de ervas para utilizar como desodorante ou como solução para o mau hálito.

CALPULLI, AS VIZINHANÇAS DA CIDADE

Conforme a população de Tenochtitlán foi crescendo, a cidade

Ruínas da antiga Tenochtitlán no México

foi se expandindo naturalmente. Para tal, a capital asteca possuía quatro bairros maiores, que dividiam toda a cidade.

Cada um desses bairros, ou quadrantes, era dividido internamente em vizinhanças que eram chamadas no idioma asteca de calpulli. Cada bairro possuía um número que variava entre 12 e 15 calpulli.

Dentro de cada calpulli estavam instaladas uma espécie de tribo ou comunidade que continha seu próprio templo e seus próprios sacerdotes, enquanto as pessoas aproveitavam os jardins, suas casas e as ruas. Até mesmo escolas eram encontradas nos calpullis. Ritos e celebrações importantes eram realizados nos recintos cerimoniais principais. Os habitantes se deslocavam a pé ou em canoa pelos canais que cruzavam a cidade.

Os templos maiores ficavam junto ao centro da cidade, ao lado de palácios destinados ao imperador e seus familiares, bem como jardins e até mesmo um zoológico. A expansão asteca não se deu somente por motivos práticos, nem tão pouco somente por motivos religiosos.

Apesar de acreditarem que tinham sido escolhidos pelos deuses, os astecas conquistavam terras por terem alto valor tributário, o que sustentava o povo e deixava os conquistadores ricos.

O GOVERNO ASTECA

O governo asteca possuía como figura primordial e autoridade suprema o Tlatoani, ou o imperador asteca. Contudo, a base administrativa do governo possuía diversos oficiais que auxiliavam o imperador em suas duras tarefas.

Esses oficiais eram servidores públicos, em quem o povo asteca depositava confiança, esperando deles lealdade e honestidade. Qualquer desvio desses servidores era passível de punição.

Com isso, ser um oficial do governo possuía suas recompensas, mas exigia grandes responsabilidades. Normalmente os oficiais de alta patente eram nobres ou grandes donos de terras que frequentemente possuíam propriedades por todo o império.

O governo, então, aproveitava que esses donos de terras faziam constantes viagens e os colocavam em cargos para que realizassem trabalhos para o império, como juízes, coletores de impostos, líderes militares e oficiais da corte.

OS IMPERADORES

A lista de imperadores astecas não é tão grande. Após quase meio século que os astecas já haviam fundado Tenochtitlán, Acamapichtli foi eleito o primeiro imperador asteca. Em seu governo realizaram-se as principais grandes obras da capital e ele foi responsável por dar um rumo à sociedade asteca.

Já durante o governo de Huitzilihuitl, que era considerado um grande guerreiro, os astecas expandiram seus aparatos militares, inovando nas estratégias de combate e locomoção.

Chimapopoca havia sido considerado muito incompetente para governar, e Itzcoatl o sucedeu já com intenções de fazer com que os astecas escapassem do domínio dos tepanecas.

Após formar a Tríplice Aliança com Texcoco e Tlacopán, os astecas se tornaram soberanos no território derrotando os tepanecas. Com isso, em 1440, Moctezuma assumiu o trono determinado em fazer dos astecas um grande império.

Assim começou o plano de expansão territorial que seguiu adiante pelas mãos dos filhos, netos e bisnetos de Moctezuma, até a chegada dos espanhóis e o fim do império com a morte de Moctezuma II, seu bisneto.

2

POLÍTICA E COTIDIANO

AS RELAÇÕES QUE DITAVAM O RITMO E A VIVÊNCIA DENTRO DO GRANDE IMPÉRIO

Com a ação de diversos governantes, o império asteca cresceu forte e próspero em meio a um cenário político conturbado. Na Mesoamérica, onde se localizavam diversas tribos e civilizações, os conflitos eram praticamente inevitáveis.

Porém, graças às políticas de pagamento de impostos e ao direcionamento de investimentos em uma cultura que enaltecia o guerreiro e o homem valente, os astecas puderam fundamentar as bases de seu mundo em meio a tantas guerras tribais que ocorriam na região.

O império possuiu em seu auge uma média de 11 milhões de habitantes que estavam espalhados em mais de 150 mil quilômetros quadrados. A capital asteca recebeu, já na era moderna, o título de cidade mais populosa de toda a América Central pré-colombiana, com 200 mil habitantes.

As pessoas no império asteca trabalhavam muito e todos sabiam suas funções. A sociedade asteca funcionava como um relógio e entre os maiores feitos daquele povo estão suas conquistas nos campos da astronomia, engenharia, medicina, gastronomia, entre outros, que até hoje podem ser vistos dentro da cultura mexicana.

A PIRÂMIDE SOCIAL

A sociedade asteca possuía camadas muito rígidas tanto com relação à profissão quanto com relação ao status social do indivíduo. Por exemplo, quem nascia filho de ourives, deveria ser um ourives e aprender a profissão com o pai.

A ascensão social era muito restrita. Se a criança tivesse um talento nato para algo, era selecionada a dedo pelos sacerdotes para integrar uma educação mais privilegiada, mesmo sendo um camponês. Outro caminho para melhorar a condição de vida era a carreira militar para os rapazes.

No topo da sociedade asteca estava o imperador. Autoridade absoluta, o Tlatoani governava como comandante chefe de todo o exército e todo o corpo administrativo do império, sendo sua decisão a palavra final.

Abaixo dele estava a nobreza, que muito próxima do imperador, auxiliava-o na governança do império. Eram os administradores gerais, funcionários de alto escalão e membros do conselho pessoal do imperador, bem como da corte real. Generais do exército, altos sacerdotes e grandes guerreiros também faziam parte desta classe.

Na classe dos camponeses, que vinha logo abaixo na hierarquia social asteca, existiam aqueles que possuíam mais posses e bens e, portanto, uma vida melhor, como os comerciantes, ourives e outros que tivessem uma profissão mais privilegiada. Havia ainda outros que possuíam uma vida mais dura, como os agricultores e trabalhadores braçais. Contudo, todos eram da mesma classe: os macehualli.

Já na base da sociedade estavam os escravos. Sendo a classe mais baixa de todas, eram prisioneiros de guerra ou pessoas que possuíam grandes dívidas com a sociedade ou com algum membro dela. Trabalhavam para seus donos e podiam auxiliar, desde em trabalhos domésticos dentro das casas, até em trabalhos pesados nas profissões de seus donos.

O TLATOANI

Cada Altepetl, que era a denominação das cidades-estados astecas, possuía seu Tlatoani, que era considerado como um rei daquela cidade.

No entanto, após os astecas derrotarem os Tepanecas e expandirem seus domínios por meio das muitas conquistas militares, o Tlatoani de Tenochtitlán foi reconhecido como o imperador e o mais influente, poderoso e temido de todos os astecas.

Entre as funções do Tlatoani estavam a de comandante chefe das forças militares e a de alto sacerdote. Cada decisão que o Tlatoani tomava influenciava todo o povo do império. Ele poderia condenar uma pessoa à morte, tomar suas riquezas ou mesmo declarar guerra contra outros povos.

Todos os Tlatoani das cidades-estados astecas vinham da família real. Qualquer Tlatoani poderia possuir mais de uma centena de esposas, o que acarretava em uma infinidade de filhos e filhas, que constituíam uma realeza cheia de irmãos, irmãs, crianças, primos, tios e tias, além de maridos e mulheres.

A ESCOLHA DO TLATOANI

Os Tlatoani astecas sempre vinham da família real. No entanto, para o título de imperador e Tlatoani de Tenochtitlán era feita uma seleção especial.

Um conselho de anciãos que era constituído por antigos líderes da nobreza e das categorias militares escolhia apenas quatro homens dentre todos os candidatos do montante da família real.

Esses quatro candidatos, por sua vez, eram eleitos através de suas maiores qualidades, que de forma geral deveriam conter a inteligência de um líder, grande autonomia e poder de decisão, e muita coragem em batalha.

Todos os candidatos deveriam ser jovens para que pudessem ter um longo e duradouro reinado e apresentar um grau de parentesco próximo do antigo Tlatoani, o que de forma geral, restringia o número de candidatos.

A CERIMÔNIA DE COROAÇÃO

Uma vez escolhido, o cargo de Tlatoani de Tenochtitlán e de grande imperador dos Astecas era vitalício. Após a escolha, os astecas realizavam uma grande cerimônia para a coroação do imperador.

Os anciãos liam discursos, chamados de huehuetlatolli, para o novo Tlatoani, a fim de transmitir seus ensinamentos, valores, aptidões e principalmente o que o seu novo trabalho requeria, além da tremenda responsabilidade pela vida de todos os astecas.

Após esse período de aprendizagem e contato com os anciãos, uma grande festa era dada para a apresentação do novo imperador e presentes eram recebidos de todos os cantos de cada nobre convidado para a cerimônia.

A PIPILTIN

A nobreza asteca, conhecida na língua nahua como Pipiltin, começou a ser formada desde os primórdios do nascimento da civilização asteca, com o primeiro Tlatoani Acampichtli. O primeiro Tlatoani possuía diversas esposas e muitas crianças.

Esses familiares, por sua vez, se casaram e deram sequência à dinastia do primeiro imperador. Assim, quanto mais próxima a pessoa era da família real, seja por casamentos ou por herança sanguínea, mais prestígio tinha.

As pessoas que nasciam dentro da nobreza ou elevavam seu status social até a classe dos Pipiltin, eleita como uma classe social distinta a partir da metade do século XIV, através de atos e conquistas militares, permanecia nela até a morte.

A nobreza era tida como um título hereditário, o qual as pessoas nunca perdiam. Se uma criança nascesse do casamento de uma mulher comum com um membro da nobreza asteca, a criança também seria parte da nobreza.

Dentre as maiores vantagens em ser da nobreza asteca, estavam a vida boa e grandiosa. Aos nobres era permitido utilizar joias feitas de ouro puro e roupas de algodão. Comiam sempre dos melhores alimentos disponíveis e possuíam, em alguns casos, casas de dois andares, honra que jamais poderia ser atingida pelas pessoas comuns.

No entanto, ser da nobreza asteca trazia muitas responsabilidades. Não era permitido à nobreza qualquer tipo de lapso ou preguiça. Até mesmo o mais alto nobre deveria trabalhar, realizar sacrifícios e alcançar cargos de liderança dentro das forças militares.

OS HOMENS E AS MULHERES DA NOBREZA

Todos os nobres possuíam suas funções dentro da sociedade asteca. Aos homens eram reservados os cargos administrativos de alta patente, uma vez que era sua função gerir o estado.

Entre suas tarefas, estava cobrar, gerenciar e administrar as taxas e a coleta de impostos, a construção de estradas, de templos e de fazendas. Além desse trabalho, era esperado dos homens nobres que exercessem outras funções como comandantes militares ou cargos religiosos.

Já as mulheres nobres possuíam algumas funções a mais do que as mulheres comuns. Além de permanecer em casa e trabalhar por lá, ela era responsável por administrar o trabalho de todos os membros da família, dos escravos e dos trabalhadores.

Era seu dever também garantir que as crianças tivessem uma boa educação e cumprissem suas funções, além de manter todos bem acomodados, alimentados e vestidos.

OS SACERDOTES

Abaixo do Tlatoani, o único cargo dentro do império que possuía grande poder era o dos alto sacerdotes. Era trabalho dos alto sacerdotes manter os deuses felizes e transmitir às pessoas os desejos dos deuses, para que elas os ajudassem a executá-los. Havia categoria mais elevada de sacerdotes, que pertencia à nobreza, Pipiltin. Outros, poderiam ser provenientes de qualquer classe social, inclusive crianças eram prometidas a servirem no sacerdócio.

Pouco se sabe sobre como eram definidos os dois "Serpente de Plumas", o nome dos dois alto sacerdotes. No entanto, sabe-se que os dois eram eleitos pelo grande conselho do imperador, e nessa escolha não intervinha nenhuma consideração sobre nascimento. Eram-se contados apenas os conhecimentos e os méritos.

Os papéis dos sacerdotes podiam ser os mais variados. Alguns supervisionavam os negócios nos templos, enquanto outros eram escolhidos especialmente para realizarem os sacrifícios aos deuses.

Alguns dirigiam hospitais para a população pobre, outros eram guardiões de livros sagrados. Outros, ainda, podiam se tornar professores dos garotos nobres no Calmecac, um tipo de escola. O recrutamento de novos sacerdotes dependia de suas famílias, e se decidiam destinar seus filhos a servirem os deuses. Era permitido ao menino ou à menina renunciar ao sacerdócio e casar-se.

Alguns sacerdotes desempenhavam papéis dentro do exército asteca. De forma geral, eles marchavam junto aos exércitos enquanto estes iam para a guerra para acalmar a vontade dos deuses e fazer com que as divindades permanecessem junto aos astecas.

Os sacerdotes vestiam-se com capas pretas com longos capuzes, enquanto outros apenas pintavam seus corpos de preto. A vida como sacerdotisa era ideal para aquelas mulheres que não se casavam.

Algumas, além de servirem em templos, participavam de festivais religiosos interpretando o papel das deusas nos desfiles e outras participavam dos rituais de sacrifício às deusas. Os mais poderosos sacerdotes trabalhavam no Grande Templo e serviam ao deus do Sol e ao deus da chuva.

Em Tenochtitlán cada divindade possuía seu próprio santuário, o que fazia com que seus servidores tivessem funções estritamente determinadas na maioria dos casos. Do alto das pirâmides, o som de conchas e a batida de gongos de madeira saudavam o movimento dos astros e ritmavam o cotidiano das cidades.

OS GUERREIROS

Os guerreiros eram uma das mais importantes profissões de todo o império e ela era o que mais representava o estilo de vida dos astecas, como se fosse uma classe social completamente independente.

Ir para a guerra e demonstrar destemor era um estilo de vida para os astecas, que desempenhavam essa função com grande alegria. Os guerreiros astecas começavam seus treinamentos desde crianças e era obrigatório a todos os homens do império. O exército, por sua vez, não possuía soldados permanentes, mas sim uma gama completa de oficiais.

Todos os homens com idade superior aos 17 anos deveriam se apresentar à batalha quando fossem chamados. Um guerreiro asteca deveria ser habilidoso com diferentes tipos de armas, uma vez que não se sabia em qual posição iria atuar.

OS MACEHUALLI

As pessoas comuns, mais conhecidas na língua nahua como macehualli, desempenhavam trabalhos variados, como comerciantes, negociantes, artesãos e agricultores.

Alguns comerciantes provinham os produtos disponíveis nos mercados locais, enquanto outros negociantes viajavam para longe para obter outros tipos de produtos. De forma geral, os cidadãos comuns eram membros das tribos e dos calpulli e possuíam uma vida regrada e monótona.

Cabia a eles prestarem serviço militar, assim como todos os homens, a pagar os impostos e trabalhar no trabalho coletivo, como na construção de canais, estradas, monumentos, diques e outros serviços.

OS ESCRAVOS

A classe mais baixa da sociedade asteca era composta pelos tlatlacotin, que por sua vez compunham os escravos. Esses escravos podiam ser separados em diversas categorias dependendo de suas origens.

Existiam os escravos que eram prisioneiros de guerra e eram destinados aos sacrifícios em templos e outros eventos religiosos de grande porte. E os escravos condenados pela justiça e que não cumpriam pena de prisão, mas sim trabalhavam obrigados para a coletividade ou para uma pessoa específica.

E, por fim, os homens e mulheres que se arruinavam no jogo e na bebida, além daqueles membros que a própria família colocava à disposição de algum senhorio para saldar débitos através de trabalho forçado.

Os escravos da sociedade asteca não tinham a condição de cidadãos, mas pertenciam a um senhor. Para serem libertados, poderiam ser recomprados, alforriados por testamento do senhor, ou, eventualmente, libertados em massa.

Era permitido aos escravos casarem entre si ou com um homem ou mulher livres. Seus filhos, independente do tipo da união, eram considerados livres.

ORGANIZAÇÃO DO TRABALHO

A organização do trabalho no mundo asteca era feita tanto pela classe social quanto pelo sexo. Enquanto as classes sociais mais altas recebiam funções menos braçais e melhor remuneradas, as mais baixas tinham uma vida muito dura trabalhando no campo.

Apenas a nobreza hereditária era servida por altos cargos militares, judiciais, administrativos e religiosos.

A hereditariedade valia não só para os nobres, mas para as pessoas comuns quando se tratava da organização do trabalho na sociedade. Os artesãos e os comerciantes, por serem um pouco mais abastados que as pessoas comuns, ensinavam seus ofícios a seus filhos, que ficavam felizes em continuar os negócios da família, pois poderiam lhes assegurar uma vida tranquila e de bom nível.

A maioria das pessoas comuns, no entanto, trabalhava como pescadores, caçadores, agricultores e outros tipos de funções braçais. Se alguma criança não quisesse seguir a profissão dos pais, de origem simples, poderia se aplicar à vida militar ou à vida religiosa.

Os homens trabalhavam pescavam no lago com redes e arpões e também ensinavam seus filhos a pescar e caçar pássaros. Se fossem convocados pelo exército, poderiam ser levados a uma campanha militar ou trabalhar na construção de projetos que deveriam celebrar a devoção religiosa do "povo do sol".

A ROTINA DO ASTECA

O dia começava cedo para todos os mesoamericanos, uma vez que o trabalho duro era ensinado a eles desde pequenos. Com isso, os astecas se levantavam antes do amanhecer, principalmente na capital Tenochtitlán, onde tambores e trombetas ecoavam no Templo Maior para saudar a aparição da estrela matutina Vênus, que despontava no céu.

O interessante neste modelo de rotina é que todos, desde o imperador até o trabalhador mais simples, levantavam-se no mesmo horário. Após despertarem, os astecas tomavam banho de vapor nas fontes públicas ou em suas casas para se refrescarem para um longo dia de trabalho.

A maioria tomava seu desjejum feito à base de tortilhas, pequenas tortas feitas à base de milho, ou à base de tamales, um alimento à base de farinha de milho. Uma sopa de milho era muito bem-vinda durante os dias de inverno.

Após a primeira refeição do dia, os trabalhadores estavam prontos para o serviço que os aguardava até o anoitecer, quando voltavam para casa. Após o jantar, homens e mulheres passavam um tempo juntos, fazendo trabalhos manuais enquanto suas casas eram iluminadas por tochas de pinho.

A FAMÍLIA E AS CASAS

As famílias e suas residências mudavam drasticamente de acordo com sua classe social e modelo de trabalho. Enquanto o tlatoani vivia em um suntuoso palácio cheio de jardins e outros aposentos, o resto da sociedade vivia de maneira mais simples.

Assim como o imperador, a nobreza possuía residências suntuosas. Não eram tão grandes e pomposas quanto o palácio real, mas eram luxuosas, com jardins, banhos a vapor e mais de um aposento.

O tamanho da casa de uma família era proporcional à sua riqueza e status social. Artesãos e comerciantes, que em sua maioria possuíam riqueza, expressavam seu poder e seu status por uma profissão mais privilegiada ao terem casas elegantes, porém muito menores e muito menos luxuosas que as da nobreza.

A casa de uma família comum era praticamente uma cabana de um quarto só. Outras vezes as construções eram agrupadas em volta de um pátio e feitas de adobe. Alguns plebeus ricos viviam em edifícios de pedra.

As casas que possuíam mais de um cômodo tinham diversas dependências que serviam como dormitórios, enquanto no centro da construção estavam um forno e um banheiro. Já nas que possuíam somente um cômodo, que era usado estritamente como dormitório, o forno permanecia do lado de fora da residência.

As famílias podiam criar peru ou cachorro, cultivar verduras, flores e plantas medicinais em um horto, chamado xochichinancalli ("florescente entre as canas"), e tinham um pequeno santuário dedicado aos antepassados.

OS MÓVEIS ASTECAS

Os astecas não possuíam móveis em suas casas. As pessoas trabalhavam, comiam e se sentavam no chão, enquanto na hora de dormir os astecas se deitavam em tapetes, chamados Petlatl, feitos de tecido com canas, que eram um dos poucos "móveis" da casa.

Isso se aplicava tanto às pessoas ricas como às pobres. Contudo, os mais abastados possuíam plataformas para colocar seus tapetes e até mesmo se cobrirem com cobertores tecidos à mão, o que equivalia naqueles tempos a uma cama.

Os nobres de mais alta patente dentro do império asteca se sentavam em cadeiras baixas feitas à base de vime. Algumas possuíam almofadas e até mesmo um encosto para as costas no qual o nobre poderia inclinar-se e descansar.

Ter os móveis mais finos e luxuosos era um direito apenas do alto escalão e do imperador que possuíam uma mobília coberta com bordados ou peles de onça entre outros animais, ao invés de apenas esteiras e tapetes feitos de canas.

Cestos feitos de vime ou junco eram utilizados para armazenamento, nas casas das pessoas comuns. Já os ricos tinham caixas de madeira. Jarros de cerâmica armazenavam alimentos.

AS MULHERES ASTECAS E SUAS FILHAS

As mulheres na sociedade asteca possuíam papéis fundamentais dentro das estruturas sociais e era esperado pelo povo que fossem grandes trabalhadoras. Claro, algumas mulheres podiam se restringir ao serviço doméstico, mas outras procuravam outras ocupações, como sacerdotisas, médicas ou fornecedoras nos mercados.

Outra profissão muito admirada dentro da sociedade asteca e que servia como outro tipo de caminho para as mulheres que não desejavam uma vida só de afazeres domésticos era o ofício das parteiras, que aprendiam como serem curandeiras e como manusear diversas ervas, que podiam ser utilizadas também para a cura de diversas doenças.

As mães tinham, por dever e obrigação, que ensinar e treinar suas filhas para serem boas esposas, mas acima disso, servir como boas mulheres a sociedade asteca. Desde os 4 anos as meninas astecas aprendiam pequenos serviços com suas mães em casa.

Aos 14 anos elas aprendiam a tecer, e a partir dessa idade e para toda sua vida as mulheres ficavam responsáveis pela manufatura, reparo e lavagem das roupas da família, além do preparo dos fios para tecelagem.

Qualquer peça de tecido ou roupa que era produzida como excedente era uma forma de riqueza para a família e competia a esta fazer bons negócios pelo produto no mercado local. Uma filha que pudesse tecer peças de fino trato era muito valiosa para sua família.

Tecelãs indígenas em San Lorenzo Zinacantan, México

A criação das garotas seguia estritas regras. Precisavam aprender os costumes e as normas de etiqueta da sociedade asteca e obedecer aos mais velhos. Não era permitido às mulheres desobedecer os anciãos e nem reclamar sobre os trabalhos.

Essa perspectiva moral que acompanhava as meninas desde sua infância e pelo resto de suas vidas era essencial. Nenhuma família queria ter como pretendente para os rapazes uma mulher que não fosse gentil, honesta, respeitosa e não tivesse boas maneiras. Ser trabalhadora e habilidosa também eram qualidades muito importantes.

Não era incomum ver uma menina de 12 ou 13 anos de idade sendo responsável pelas funções de uma casa, como moer o milho, fazer tortilhas ou cozinhar as refeições. A partir dessa idade as meninas também podiam tecer, pintar, costurar, limpar a casa, cuidar dos irmãos e fazer compras no mercado.

As mulheres que trabalhavam nas fazendas e nos campos podiam levar uma vida mais dura ainda, pois deveriam ajudar o marido nas colheitas além de cuidar dos serviços da casa, o que acarretaria em uma dupla jornada.

As mulheres da nobreza eram responsáveis por administrar as tarefas de casa, que eram executadas por escravos e outros empregados. Contudo, as meninas da nobreza também deveriam aprender a limpar, tecer e cozinhar, mesmo que não fizessem tanto essas funções quanto as meninas da plebe.

A EDUCAÇÃO ASTECA

A educação asteca era muito rica e diversificada. As crianças, assim como nas sociedades modernas, tinham o direito de ir à escola quando atingissem uma certa idade, embora não se saiba, precisamente, se era aos 7, aos 10 ou aos 14 anos.

No entanto, as escolas nos tempos dos astecas eram separadas em dois tipos, de acordo com as classes sociais. Os filhos dos macehualli frequentavam a telpochcalli que significa na língua dos astecas "a casa da gente jovem".

Essas escolas eram encontradas junto aos templos e cada calpulli possuía seu templo e sua escola. Lá, eram ensinadas matérias como história, oratória, danças e canto, além de religião.

Os meninos e as meninas recebiam suas lições separados, e após cursarem as matérias citadas, os rapazes tinham treinamento militar enquanto as meninas permaneciam nos templos da cidade, onde aprendiam a servir.

Os mais jovens eram estimulados a servir aos deuses, ao estado, aos calpulli e ao entorno familiar, e deveriam se sentir realizados com isso.

Já os filhos dos pipiltin, por pertencerem a uma classe social mais elevada, recebiam sua educação separada da dos filhos das pessoas comuns em centros especializados na educação destes nobres, chamados de calmecac.

Nos calmecac, a nobreza recebia educação sobre os rituais religiosos, sobre o acompanhamento e a leitura do calendário sagrado e da interpretação do tonalamatl, além de como compreender e celebrar os festivais e os anos religiosos astecas. Os calmecac eram divididos entre meninos e meninas em cada cidade.

Essas eram as matérias mais importantes dentro do centro de educação da nobreza, por serem matérias que somente eles aprendiam. Contudo, outros conhecimentos muito mais específicos eram ensinados também como teoria militar, astronomia, história, arquitetura e aritmética, além da oratória, da leitura e da escrita.

Alguns poucos estudantes das escolas plebeias, se tivessem grande potencial, eram chamados para frequentar as escolas da elite asteca. Essas crianças, dotadas de talentos especiais, estavam destinadas a terem uma profissão muito melhor que a de seus pais.

Apesar de frequentarem escolas e dedicarem-se aos estudos, as crianças na sociedade asteca estavam destinadas a herdar, em uma grande maioria dos casos, as profissões de seus pais.

OS CASAMENTOS E O INÍCIO DA VIDA ADULTA

Os casamentos para os astecas significava um importante ritual na vida dos jovens e era tratado por igual importância entre as famílias do noivo e da noiva. No caso, quando os rapazes atingiam a idade ideal para se casarem, na adolescência perto dos 20 anos, a família já começava a prepará-lo.

Primeiro, a família do rapaz se dirigia até a escola local onde falavam com o diretor da escola explicando que o garoto havia atingido aquela idade. Um encontro formal era marcado, no qual acontecia um banquete em homenagem ao rapaz, uma espécie de graduação da escola.

Após isso, a família avisava ao jovem que ele não mais frequentaria a escola e estava já ingressando na vida adulta. Depois da graduação, os pais procuravam uma futura noiva para seu filho.

A ESCOLHA DA NOIVA

Muitas das jovens que estavam no final de sua adolescência eram consideradas aptas a se tornarem a noiva de algum jovem pretendente. No entanto, a tarefa de escolher uma noiva era exclusiva dos pais do noivo ou de seus parentes próximos.

A noiva, de qualquer forma, poderia ser uma jovem que o rapaz já conhecesse ou mesmo uma completa desconhecida. Porém, uma vez que a moça fosse escolhida, a mãe e outras mulheres da família do rapaz se dirigiam até o lar da jovem para pedirem sua mão aos seus pais.

A decisão de aceitar a oferta das mulheres da família do rapaz não era da moça, mas sim de seus pais e familiares. Contudo, a decisão de aceitar a oferta podia levar um certo tempo.

Eram os pais do jovem que consultava a própria família e combinava seu casamento. Um casamenteiro profissional era enviado aos pais da jovem eleita e expunha o caso durante quatro dias consecutivos, até que os pais da jovem anunciassem se aceitavam ou não a proposta.

Uma vez que a noiva aceitasse a proposta, os pais dos dois jovens consultavam um adivinho para determinar uma boa data para o casamento, já que o dia deveria ser aprovado pelos deuses para que trouxesse boa sorte ao jovem casal.

A CERIMÔNIA

A cerimônia de casamento asteca levava muitos preparativos. A cerimônia pré-nupcial durava cerca de quatro dias, nos quais havia uma grande festa na casa da noiva. Durante a noite do primeiro dia, a noiva se banhava e vestia delicadas roupas enquanto as mulheres de sua família lhe decoravam o corpo.

A noiva usava, então, plumas vermelhas nos braços e nas pernas enquanto uma delicada pintura corporal era feita em seu rosto como uma espécie de maquiagem. Essa maquiagem era composta por uma pasta com pequenos cristais que reluziam.

Essa maquiagem só era usada pelas mulheres uma vez na vida, durante a cerimônia pré-nupcial e durante o casamento, tornando-a assim quase um rito único de passagem da vida de solteira para a de casada.

Após toda essa cerimônia, as mulheres de sua família lhe diziam as mais sábias palavras a respeito da vida de casada, e depois, a mais forte dentre elas levava a noiva nas costas até a casa dos pais do noivo, local em que ocorreria o casamento.

Chegando lá, os dois jovens presenciavam outra celebração regada a danças, cantos e festejos. Os noivos permaneciam um ao lado do outro em uma espécie de tapete matrimonial enquanto oferendas de incenso de copal queimavam em seu entorno, deixando a fumaça sagrada purificá-los e atrair as bênçãos dos deuses.

Os noivos se alimentavam com tamales, uma iguaria à base de carne e palhas de milho. Sobre esse costume, sabe-se também que em algumas cerimônias a mãe do noivo alimentava a noiva e depois o noivo com quatro colheres da iguaria, após a capa do noivo e a saia da noiva serem amarrados, representando a criação dos laços entre eles.

Presentes eram trocados também entre as famílias. A mãe do noivo confeccionava trajes e mantos que eram oferecidos ao noivo como um presente aos seus futuros sogros. Após todos os cortejos e presentes os noivos iam para um quarto, onde rezavam aos deuses por quatro dias.

A cerimônia se encerrava com uma série de discursos formais, primeiramente das anciãs, que falavam seus deveres para a esposa. A mãe da noiva era a seguinte a falar, dirigindo-se ao futuro genro e reforçando seus deveres de dar amor, dedicar atenção e trabalhar arduamente pela sua futura esposa.

A MUDANÇA

Depois de longos dias e muitos rituais de uma extensa cerimônia de casamento, os recém-casados recebiam os presentes de casamento de outras pessoas, que eram geralmente alimentos, objetos caseiros, cerâmica e outros itens úteis ao casal.

A mudança geralmente era feita para a casa da família do noivo, na qual os dois jovens dividiam um pequeno quarto dentro da casa, ou permaneciam junto a todos, caso a residência fosse mais humilde.

No entanto, era comum a mulher e o homem serem do mesmo calpulli, o que tornava raras as vezes em que os recém-casados permaneciam longe das casas de seus pais.

A GRAVIDEZ

Após a longa cerimônia de casamento e a mudança do casal para sua residência, os jovens não desperdiçavam tempo. Para os astecas, o principal objetivo de todo e qualquer casamento era o de gerar um filho.

A tarefa primária de qualquer esposa era ter um filho, graças aos deveres impostos pela sociedade asteca. Para eles, ter um filho era uma bênção, pois além da criança tocar os negócios da família como agricultora, comerciante ou em outras profissões, os filhos tinham o dever de cuidar de seus pais na velhice.

As crianças eram uma bênção para as famílias astecas e era costume desse povo que as parteiras visitassem as grávidas para se certificar que elas estavam bem, por volta do sétimo ou oitavo mês de gravidez.

O PARTO

Os costumes referentes ao parto eram extremamente parecidos por toda a Mesoamérica, em especial nas sociedades asteca e maia.

Quando uma mulher ia dar à luz, a parteira primeiramente rezava à deusa do parto, que no caso dos astecas era Tlazolteotl.

A reza servia tanto para abençoar a mulher para que seu bebê nascesse saudável, quanto para aliviar as dores. De todo modo, a futura mãe tomava um medicamento feito a partir de uma mistura com plantas e ervas que possuíam propriedades sedativas.

Após a futura mãe estar sedada, a parteira colocava uma pedra quente em sua barriga para que o parto fosse mais rápido e eficiente.

O NASCIMENTO DOS BEBÊS

Após o nascimento dos bebês, a parteira dava as boas-vindas à criança, lhe dando coragem para se estabelecer com sua família e lhe dizendo que tanto os homens quanto as mulheres possuem deveres junto à sociedade, como trabalhar duro e venerar aos deuses.

Existia uma série de rituais quando a parteira cortava o cordão umbilical. Esses rituais dependiam do sexo da criança. Se fosse menino, era enterrado pelos guerreiros no campo de batalha. Se fosse menina, era enterrado perto do fogão, simbolizando aspectos de sua vida adulta como cozinheiras e guardiãs do fogão.

Realizado o ritual do cordão umbilical, os familiares e amigos da família só poderiam prestigiar o nascimento da criança após o seu primeiro banho. A maioria dos membros da família apresentava seus respeitos e faziam declarações solenes em relação à mãe, à parteira e ao bebê.

Os pais dos bebês astecas recorriam a um adivinho assim que uma criança nascia. O adivinho consultava o Tonalamatl, o "Livro dos Dias", decidia quais sinais iriam influenciar a vida da criança e decidia dia e hora para a nomeação do bebê.

Os deuses que iriam influenciar a vida do bebê eram de suma importância para a família. Se as previsões do adivinho não fossem boas, os intérpretes da vontade dos deuses davam conselhos de como os pais poderiam melhorar o futuro da criança.

A CERIMÔNIA DO BANHO

Quatro dias após o nascimento do bebê, a parteira dirigia a cerimônia do banho na presença de toda a família da criança. Esta era considerada a cerimônia mais importante, pois graças a ela eram definidos os nomes da criança e ela era apresentada à sociedade.

A parteira dispunha sobre uma pia cheia de água uma espécie de tapete feito de juncos ou de canas e rodeava esse pequeno tapete com itens feitos em miniatura, que representariam as coisas importantes na vida da criança.

Por exemplo, se a criança fosse uma menina, eram colocados itens como fios, potes, panelas e alimentos, enquanto que se a criança fosse um menino eram colocados itens a respeito de outras profissões, como ferramentas agrícolas, armas de um guerreiro e assim por diante.

Após a distribuição dos pequenos itens a parteira fazia um círculo no sentido anti-horário ao redor da pia enquanto o apresentava quatro vezes aos céus e a água purificadora da deusa Chalchiúhtlicue.

Caso a família tivesse filhos mais velhos, era seu dever ir a público anunciar o nome de seu irmão recém-nascido a todos os que passassem próximo ao local da cerimônia.

A VITÓRIA E A DERROTA

Para os astecas, o ato de dar à luz era considerado uma batalha. A vitória desta batalha só era alcançada caso a mulher desse à luz um bebê saudável e permanecesse bem. Caso a mulher morresse ao dar à luz, ela receberia a mesma honra que os mais valentes guerreiros que morriam em batalha.

Para tal, tanto na vitória como na derrota, a parteira entoava cânticos sagrados em homenagem à mãe e ao milagre do nascimento.

OS PRIMEIROS ANOS DE VIDA

Os primeiros anos de vida da criança eram passados em casa. Os pais e as mães astecas sempre criavam seus filhos para que fossem obedientes, disciplinados, trabalhadores e muito regrados.

Com isso, quando eram bem pequenos já começavam a ajudar nas tarefas de casa, além de brincar. Por volta dos 3 anos, as meninas já começavam a ser ensinadas como fiar, tecer e até fazer tortilhas. Os meninos, por outro lado, por volta da mesma idade, começavam a realizar trabalhos braçais simples, como trazer água para casa, por exemplo.

Quando as crianças completavam 6 ou 7 anos, começavam a passar mais tempo junto a seus pais, ou a fazer coisas mais simples, como pescar no lago ou recolher canas. As técnicas utilizadas em ofícios especializados, quando era o caso de determinadas famílias, só eram ensinadas quando a criança completava 8 ou 9 anos.

OS CASTIGOS DOS DESOBEDIENTES

Assim como na organização do trabalho, na família e na sociedade todos deveriam contribuir e seguir as regras destinadas à colaboração com o império. Na organização das famílias essa regra não era diferente.

Para que seus filhos sempre seguissem obedientes e não causassem problemas a ninguém, os astecas podiam usar castigos para controlar seus filhos. A prática de aplicar punições e outros tipos de castigos era evitada fortemente, segundo os relatos de alguns códices, até que as crianças tivessem idade para aprender um ofício, aos 8 ou 9 anos.

Alguns dos castigos mais comuns para as crianças desobedientes, que já tivessem idade para tal, eram beliscões nas mãos e nas orelhas, perfurações com espinhos ou cactos, ou até mesmo palmadas nos traseiros.

Caso os castigos corporais não surtissem efeito, as crianças, após os castigos mais severos, eram amarradas e deixadas em algum local úmido para se arrependerem e não reincidirem de forma alguma as infrações que cometeram ou para que não fossem preguiçosas.

É comum casais mexicanos unirem algumas crenças astecas ao tradicional vestido branco, como o casal da foto, ao realizar a temática de dia dos mortos em seu casório

3
AGRICULTURA E SOCIEDADE

SÁBIOS, OS ASTECAS POSSUÍAM UMA AGRICULTURA BASEADA NAS CHINAMPAS, UM INCRÍVEL FEITO DE ENGENHARIA PARA A ÉPOCA, ALÉM DE UMA DIETA RICA E QUE SOBREVIVE ATÉ HOJE

A agricultura asteca era a base de toda a sobrevivência do império e muitas pessoas ganhavam a vida cultivando alimentos. A maior parte da população sustentava os campos agrícolas e fazendas flutuantes a fim de estabelecerem a economia asteca.

Os principais alimentos cultivados pelos astecas eram o milho, o feijão, a abobrinha, a abóbora, os tomates e o chili. Alguns grãos de huauhtli (amaranto), além de sálvia, podiam ser usados em mingaus.

Em outros locais, os agricultores podiam cultivar verduras e até plantar flores nos jardins flutuantes.

LENDA SOBRE A DESCOBERTA DO MILHO

Após Quetzalcoatl criar a humanidade, com o auxílio dos outros deuses foi formada uma assembleia para decidir como alimentar as recém-formadas criaturas. Sem o auxílio da agricultura, que não havia sido criada ainda, muito menos das carnes que ainda não existiam, os deuses estavam sem opções.

Foi quando uma formiga vermelha, muito distante da morada dos deuses, adentrou na montanha Tonacatepetl (que significa na língua nahua "Montanha dos Alimentos"), e achou uma possível solução para o problema celestial, o milho.

Espigas e mais espigas de milho escondidas no interior da montanha esperavam pela formiguinha para carregá-las. Ao sair do local com uma espiga em suas costas, a formiga deu de cara com Quetzalcoatl que intrigado pelo objeto, pediu para a formiga dizer o que trazia consigo.

A formiga, que se assustava facilmente apenas com o levantar de um pé ou outro, contou tudo o que sabia ao deus da Serpente Emplumada, que viu com seus próprios olhos a montanha de milho dentro de Tonacatepetl.

Voltou à reunião divina, interrompendo uma incrível discussão dos outros deuses sobre como fariam pedras ficarem gostosas para humanos, e apresentou a solução ao resto do panteão sagrado.

Os outros deuses adoraram a ideia e esquematizaram como poderiam multiplicar o milho que já existia. Nanahuatzin e Tlaloc, dois deuses poderosos, se lançaram na empreitada. O primeiro, com seus raios, lançou na direção da montanha que rachou ao meio, enquanto os auxiliares de Tlaloc recolheram todo o milho.

Graças ao raio, os milhos adquiriram diversas cores, como o preto, o branco, o amarelo e o vermelho, e graças ao trabalho dos deuses, o milho foi descoberto e se tornou o principal alimento da América Central pré-colombiana.

OS AGRICULTORES

Os agricultores astecas eram muito respeitados dentro da sociedade. Mesmo pertencendo a uma classe social mais baixa, seu trabalho era reconhecido como o motor que sustentava a economia do império.

Na capital asteca, os agricultores possuíam uma determinada hierarquia dentro da sua profissão, graças à quantidade de tarefas que deveriam exercer para que as plantações tivessem sucesso na colheita.

Existiam os encarregados de remover a terra, de nivelá-la, de limpá-la, de medir o tamanho dos campos que seriam construídos, bem como os responsáveis por plantar, regar e colher o material.

Havia ainda respeitados especialistas em horticultura, que conheciam muito sobre sementes e transplantes.

Esses homens, por exercerem um trabalho diferenciado da maioria dos agricultores, recebiam um reconhecimento maior dentro da profissão e por parte da nobreza, dos políticos e sacerdotes.

As classes mais altas aproveitavam esse rico conhecimento proporcionado pelos especialistas em horticultura para adequarem os momentos mais propícios para semear e colher as produções agrícolas com as datas dos livros-calendários sagrados, chamados de tonalamatl.

OS JARDINS DE MOCTEZUMA

Além de construírem jardins para diversos distritos e vilas de Tenochtitlán, os especialistas em jardinagem eram solicitados a planejar e auxiliar na construção dos jardins do império, principalmente os destinados ao próprio imperador.

O hábito de construir os jardins começou quando os astecas descobriram antigos jardins construídos por povos antepassados em Huaxtepec. Na ocasião, Moctezuma pediu a ajuda de um oficial chamado Pinotetl, que melhorou as condições de irrigação e sustentação dos jardins encontrados.

O Tlatoani, então, mandou buscar e transportar cacau, plantas de baunilha e outras especiarias de Cuetlaxtlán, em Veracruz, até Tenochtitlán e Huaxtepec, para que assim fosse construído o mais esplêndido jardim botânico asteca.

Nos jardins de Moctezuma, eram celebradas cerimônias religiosas para que os deuses abençoassem as plantas. Uma cerimônia era feita com os especialistas em jardinagem após uma semana de trabalho.

Na cerimônia, que também tinha a finalidade de abençoar as plantas, os lóbulos das orelhas dos especialistas eram perfurados e seu sangue borrifado por cima de todo o jardim. Enquanto o sangue dos humanos corria por cima das plantas, o sangue de perdizes e outros pássaros sacrificados era usado para benzer as terras do jardim.

Medindo 11 km de diâmetro, os jardins de Moctezuma abrigavam mais de 2 mil espécies de ervas, arbustos e árvores, além de um aviário e um zoológico.

A INFERTILIDADE

Os astecas possuíam hortas de diversos tipos, o que fazia com que sua base alimentar fosse diversa. No entanto, assim como os maias, os astecas tinham que lidar com diversos problemas para com sua produção agrícola, e isso incluía a infertilidade de suas terras.

Pelo fato de sua capital Tenochtitlán ter sido construída em meio a um lago com pequenas ilhotas e um terreno alagadiço e pantanoso, os astecas precisaram pensar em uma solução para conseguir plantar em meio a todo esse viés agrícola.

Aliado aos problemas de falta de auxílio animal e ferramentas necessárias, o crescimento populacional elevado tornava a necessidade cada vez mais alarmante. Por volta do século XV, a população de Tenochtitlán era de mais de 150 mil habitantes, e cresceria até os 300 mil no ápice do império.

Essa população era cinco vezes maior do que a de Texcoco, cidade vizinha à grande capital asteca, que possuía apenas 20 ou 30 mil habitantes na época.

Era preciso encontrar uma solução para produzir alimentos, a começar das formas de irrigação das nascentes até as fazendas. Os astecas também usaram fertilizantes e construíram terraços, que eram plataformas elevadas no solo. E também construíram maravilhosas ilhas-fazendas, as chinampas, um tipo de canteiro flutuante feito de madeira trançada sobre áreas do lago, nos quais cultivavam algumas plantas.

AS CHINAMPAS

As chinampas eram ilhas artificiais construídas com técnicas bastante complexas pelos astecas. Um camponês que decidisse construir uma chinampa deveria primeiramente reservar uma parte pouco profunda ou pouco pantanosa do lago.

Após a escolha do terreno, colocavam-se quatro postes de madeira nessa zona, um em cada canto. De forma geral, uma chinampa possuía 30 metros de comprimento por 2,5 metros de altura.

Com os quatro postes, um em cada canto, demarcando o terreno, a zona era cercada com sarças, vegetação e barro, que seguravam a água. Lama era adicionada a esteiras produzidas manualmente pelos astecas e entrelaçadas a fim de ficarem alinhadas pelo terreno e por toda parte inferior da trama.

Os agricultores, então, plantavam salgueiros em volta do terreno. Esse tipo de árvore possuía raízes grossas e fortes que se expandiam por todo o fundo do lago, e além de reforçarem o cerco, agiam como uma espécie de plataforma de sustentação e âncora para as chinampas.

Essas árvores deveriam ser podadas com frequência, uma vez que, quando muito densas, produziriam sombra em excesso nas plantações flutuantes, o que não seria bom para as colheitas.

Os campos de terra que permaneciam dentro das chinampas eram abastecidos com terra e criados com capas de sedimentos férteis entrelaçadas e dragadas ao fundo.

Era comum que quando os agricultores decidissem criar uma chinampa fosse construída outra logo ao lado. Sempre em pares, as chinampas formavam assim canais de passagem entre si, pelos quais os astecas acessavam as plantações por meio de canoas.

As chinampas, apesar de trabalharem com sedimentos férteis, precisavam de fertilizantes. Com isso, os astecas utilizavam o lixo que era produzido pela cidade, bem como excrementos humanos, como fertilizante para suas chinampas.

Assim que a chinampa estivesse terminada, com boa sustentação e uma construção sólida, os astecas poderiam plantar milho, vegetais e até mesmo flores nas ilhas flutuantes.

Graças a essas técnicas de irrigação que foi possível controlar as provisões de água, fator importantíssimo para o controle das enchentes nas estações mais úmidas, ou da seca, nas estações mais áridas.

AGRICULTURA E SOCIEDADE

Para evitar inundações na estação úmida ou a seca durante a estiagem, os astecas controlavam a provisão de água e criaram um sistema de reservatórios, canais e represas, além de canais com comportas.

Contudo, algumas chinampas podiam chegar a ter terrenos que começavam com 75 metros quadrados, enquanto outras ultrapassavam a casa dos 800 metros quadrados.

AS TÉCNICAS DE PLANTIO

Apesar das construções das chinampas serem complicadas, as técnicas de plantio eram extremamente simples, porém trabalhosas. Os agricultores, com suas ferramentas de mão, removiam parte da terra e plantavam as sementes em pequenos buracos que faziam com um pedaço de pau, chamado de *côa*.

O milho plantado era extremamente valioso e era necessário uma série de cuidados. Uma vez que o milho fosse colhido, era limpo e retiravam toda a sua casca exterior.

Jardins flutuantes de Xochimilco, uma das últimas chinampas astecas no México

Em seguida suas sementes eram retiradas da espiga e o milho era seco e armazenado. Embora o milho pudesse ser consumido da forma que era colhido, muitas vezes ficava encharcado pela constante umidade, o que dificultaria a produção das tortilhas ou da papa de milho, largamente consumida pelos astecas.

PULQUE: BEBIDA SAGRADA

Existe até os dias de hoje na Mesoamérica uma planta bastante popular chamada de maguey. A maguey servia para a produção da bebida sagrada que hoje é chamada de pulque.

Mesmo sendo o nome mais popular desse licor asteca, graças ao termo nahua "poliuhqui", que significa decomposto ou destilado, a bebida antes era denominada octli (o leite de Mayahuel) ou mesmo teómetl (vinho sagrado).

O pulque estava relacionado com a deusa Mauahuel e com os centzontotochtin, que significa "Os quatrocentos coelhos", que por sua vez, eram tratados como os deuses do pulque.

Entre os diversos usos da bebida sagrada, estavam o seu consumo em rituais religiosos em glória aos deuses. Nestes rituais, a ingestão por parte dos guerreiros era obrigatória para deitarem-se sob a pedra sacrifical. Além do mais, o pulque ajudava-os a enfrentar o último instante destemor diante do deus ao qual devia imolar-se.

A bebida era consumida em larga escala também pelos próprios sacerdotes e xamãs, que alegavam que o licor era uma fonte infalível para a abertura de canais de comunicação com o mundo espiritual e com os deuses e seres invisíveis.

Ao entrarem em transe pela bebida, os religiosos buscavam contato com suas divindades, ou animais totêmicos, para que absorvessem conselhos e ensinamentos sobre o mundo.

Nobres, doentes, anciãos e guerreiros podiam tomar pulque. No entanto, quem era pego embriagado em público por três vezes, seria castigado com a pena de morte.

A DIETA

Em toda a Mesoamérica, e não somente no império asteca, o alimento básico era o milho. Diversos tipos de refeições podiam ser preparadas com o milho, tal como as tortilhas, que eram pequenos pasteizinhos finos e lisos feitos com pasta de milho e cozinhados em um prato de argila.

Um ensopado de milho, misturado com chili em pó e mel, chamado atolli, também era muito consumido pelos astecas em épocas frias. Tamales, outro prato feito à base de milho, também era misturado com alguns condimentos como verduras e pimentões, e às vezes até com carne no caso da nobreza, para ser consumido.

Enquanto um camponês comia somente esse tipo de comida, os membros mais ricos do império asteca possuíam uma dieta bem mais elaborada e plural. Um governante de Tenochtitlán enfrentava uma seleção de 2 mil pratos todo dia. A nobreza consumia carne de outros animais, e até mesmo a carne dos escravos sacrificados, durante alguns festivais.

OS CONDIMENTOS E AS BEBIDAS

Como complemento para as refeições, os astecas possuíam diversos tipos de condimentos, que eram utilizados como tempero na maioria das vezes. Para o preparo de molhos, por exemplo, os astecas utilizavam sálvia, coentro e quinhuilla, uma planta típica das Américas Central e Norte.

Outro tipo de condimento, desta vez utilizado nas bebidas, era a baunilha encontrada nas vagens de uma espécie de orquídea. Esse condimento era usado apenas pelos nobres e ricos astecas que necessitavam usufruir do xocolatl (chocolate).

Grãos de cacau torrados eram misturados ao milho seco. Acrescentava-se água fria e o líquido era batido até que fizesse espuma. Para finalizar, adicionavam-se vagens de baunilha e mel.

Como complemento às tortilhas, alimento mais consumido pelos astecas, eram adicionados grãos de amaranto, para realçar o sabor da comida. Feijões, abobrinhas, cebolas e batatas doces também podiam ser usados junto com uma espécie de nabo, conhecido como jicama, como acompanhamento das refeições.

Goiabas, amendoim, sal, pipoca, tomates verdes e vermelhos, além de abacates, eram adicionados à dieta asteca que, entre outras, era a mais variada de toda a Mesoamérica.

A CAÇA E OS ANIMAIS

Desde tempos remotos os antepassados dos astecas no México já caçavam. Ao longo de toda a história os mesoamericanos formaram grande parte de sua dieta com carnes e pescados, adquiridos com a caça.

Os astecas, não só pela herança cultural, mas por habilidades de grande valor, eram exímios caçadores. Tinham fácil acesso a mariscos, peixes e outros tipos de animais, como tartarugas, rãs, iguanas e até mesmo tritões (espécie de salamandra aquática chamada de axatotl).

Pássaros e outros tipos de animais terrestres eram caçados por todo o império, e chegavam à cidade como uma espécie de tributo, como era o caso de cervos, coelhos, codornas, doninhas, toupeiras, serpentes e ratazanas, além de animais jaguares e ocelotes.

O deus asteca da caça, Mixcóatl, provavelmente se originou graças a toda essa variedade e à grande atenção dos astecas para a caça desde tempos remotos. Cachorros e perus eram dois animais que podiam ser criados no quintal de uma casa asteca. Os cachorros, mesmo que fossem cães de guarda ou companhia, vez ou outra eram consumidos também.

AS FERRAMENTAS DE CAÇA

Entre as ferramentas de caça usadas pelos astecas estão armas de obsidiana e sílex, como lanças, além de dardos chamados de *atlatl*. De forma geral, essas ferramentas eram utilizadas para animais maiores, como mamutes, por exemplo.

Para os animais menores, como peixes, os astecas possuíam redes feitas de tecido e com pequenos pesos na ponta, enquanto para pássaros era utilizada uma rede menor na ponta de uma vara.

Especiarias da culinária asteca

4
ECONOMIA VIVA

COM UM SISTEMA DE COMERCIANTES
PROFISSIONAIS, OS ASTECAS POSSUÍAM GRANDES
MERCADOS E ATÉ MESMO UMA REDE DE ESPIÕES
INFILTRADOS POR TODA A MESOAMÉRICA

O comércio no império asteca era forte e muito desenvolvido. Comerciantes profissionais cuidavam de diversos aspectos referentes às transações e aos tipos de produtos, mercados e comércio em geral.

Os pochtecas, grupos de elite que viviam juntos, como uma família, se encarregavam de realizar o comércio a longas distâncias. Trabalhavam por conta própria e eram especializados na importação de materiais de luxo, como plumas, peles de animais e pedras preciosas. Graças a isso, seus membros deveriam ser nobres astecas, uma vez que a função era hereditária.

Dentro da hierarquia comercial existiam os pochteclatatoques, que eram os comerciantes de classe superior, escolhidos pessoalmente pelo imperador e que possuíam larga experiência para ensinar os mais jovens, e por isso supervisionavam todas as expedições e transações comerciais.

Os segundos na hierarquia dos comerciantes eram os tlaltlanis, ou comerciantes de escravos. Em terceiro vinham os pochtecas viajantes, que abasteciam o mercado com mercadorias de todos os cantos, já que os pochteclatatoques permaneciam em Tenochtitlán.

OS MERCADOS

Havia vários mercados chamados de Rianquiztl destinados aos mais diversos públicos, não somente na capital asteca de Tenochtitlán, como por todo o império. Localizados nas praças ao ar livre, eram locais não somente para troca e venda de produtos, mas para socialização e convívio da comunidade.

Alguns mercados eram especializados em atender demandas com produtos locais, enquanto outros mercados, como os maiores, em Tlatelolco e Tenochtitlán, por exemplo, ofereciam uma gama muito maior de produtos, que eram tanto locais quanto trazidos de todas as regiões do império.

O GRANDE MERCADO DE TLATELOLCO

O mercado mais importante do império asteca era, sem dúvida, o de Tlatelolco. Em um dia sem muito movimento, passavam mais de 25 mil pessoas que se reuniam no centro comercial para socializarem e negociarem seus produtos.

O próprio Hernán Cortés, em relatos enviados ao rei da Espanha, disse ter visto com seus próprios olhos um movimento de mais de 60 mil pessoas, e que nem em dois dias uma pessoa seria capaz de ver tudo que se vendia em Tlatelolco.

No mercado de Tlatelolco eram encontradas uma grande variedade de matérias-primas e produtos do grande império, distribuídos por setores e a preço justo.

OS ESPIÕES

Existia no império asteca um grupo de comerciantes que tinha uma missão muito mais importante que apenas vender seus produtos. Financiados diretamente pelo império, os naualoztomecas, que significa literalmente "comerciantes disfarçados", agiam como espiões a mando do imperador .

O grupo era secreto e composto por conselheiros de guerra e comandantes do exército asteca. Viajavam por todos os locais do império e por terras estrangeiras como simples comerciantes, se infiltrando e obtendo os mais diversos tipos de informações, além de distúrbios, insurgências e outros tipos de murmúrios sobre o descontentamento com o governo asteca. Esse trabalho dos naualoztomecas era perigoso: se descobertos, poderiam ser assassinados.

Esse grupo secreto foi tão fundamental que, quando Hernán Cortés aportou, seu primeiro contato com os astecas foi por meio deles. Posteriormente os espiões informaram a Moctezuma II sobre a chegada dos espanhóis.

O MERCADO DE ESCRAVOS

Outra prática extremamente comum no império asteca era a comercialização de pessoas, mais especificamente de escravos. Sempre que um povo era vencido em uma guerra, os astecas capturavam guerreiros, oficiais e outras pessoas daquele povo e o levavam para o mercado de escravos.

Eles eram trazidos aos mercados e expostos com colares de madeira em volta de seus pescoços para serem identificados e eram amarrados a um grande poste para prevenir que escapassem.

Era muito simples vender um escravo novo. Cada escravo custava, em média, apenas 20 mantos de algodão. Quando os escravos possuíam habilidades especiais, como saber cantar ou escrever, por exemplo, eram vendidos pelo dobro ou o triplo da média de mercado.

Esses escravos mais habilidosos podiam custar tão caro que

somente os mais ricos e privilegiados poderiam se dar ao luxo de comprá-los. Um cantor ou escriba, por exemplo, podiam custar o valor necessário para dois cidadãos comuns viverem por um ano.

MERCADORIA USADA

Os escravos eram adquiridos com a função de serem exímios trabalhadores. Todos os escravos comprados serviam a um propósito, como serem cuidadores de casas, trabalhadores braçais ou qualquer outra espécie de trabalho.

No entanto, vender um escravo que já estava "usado", ou seja, que já havia trabalhado para alguém antes, era uma tarefa das mais difíceis. Isso porque só se vendia um escravo se ele fosse violento ou preguiçoso, de acordo com as leis astecas.

Era permitido negociar um escravo com essas péssimas qualidades, de acordo com a visão asteca, apenas três vezes. Se o escravo não tivesse melhorado sua postura e tivesse de ir à venda mais vezes, ele seria utilizado no festival de Panquetzaliztli, como uma forma de sacrifício.

Grupo folclórico em uma praça ilustrando um pouco de cada classe social asteca

OS OFICIAIS E A SOCIEDADE

Todos os astecas, com exceção do imperador, dos altos oficiais, dos sacerdotes, crianças e órfãos, além de escravos, deveriam pagar tributos. Os tributos variavam de acordo com a classe social e a profissão.

Pessoas de uma classe social mais baixa, como agricultores, pagavam seus tributos com trabalho braçal, enquanto artesãos e ceramistas pagavam com bens. Cidades e povos que eram conquistados pelos astecas pagavam seus impostos com metais preciosos, papel, algodão, animais, colheitas ou qualquer outra coisa de valor que fosse útil aos astecas.

Grandes quantidades de produtos entravam em Tenochtitlán como forma de pagamento de tributos das províncias do império. Oficiais do governo, outro tipo de pochtecas, trabalhavam como arrecadadores de tributos itinerantes, embora normalmente permanecessem em um local para assegurar o pagamento dos impostos.

OS TRIBUTOS

O poder militar foi um dos fatores decisivos para a construção da rede de tributos asteca. Os exércitos da Tríplice Aliança travavam longas batalhas até que os estados ou cidades atacados desistissem e, por fim, aceitassem pagar os impostos.

Os astecas estabeleciam as metas a serem arrecadadas e impunham um calendário com datas para cada tipo de tributo. O pagamento de impostos era o que sustentava a infraestrutura de todo império. Algumas províncias eram responsáveis por enviar trabalhadores para construções e outros projetos, além de materiais de construção.

De todos os cantos do império chegavam alimentos, materiais militares, lenha para os braseiros da nobreza, produtos específicos como obsidiana, cacau, peles de jaguar, plumas e joias, além de outros tipos de serviços e produtos que sustentavam as operações diárias dentro da sociedade asteca.

COMO FUNCIONAVAM OS PAGAMENTOS

Informações sobre as redes tributárias eram mantidas de forma minuciosa. As operações tributárias eram fiscalizadas por funcionários especializados a serviço do império e eram mantidas em regiões e povoações.

Havia oito regiões tributárias que possuíam cada qual seu arrecadador, que entre as mais diversas funções deveria prover alimentos e lenha para os edifícios administrativos, templos das cidades e palácios.

Dois grupos de 13 povoações se organizavam em turnos para fornecer lenha ao palácio do tlatoani durante todo o ano. Outras 16 cidades deveriam enviar fraldas de algodão, tapa-sexos e roupas a Tenochtitlán duas vezes por ano, além de materiais para guerra uma vez ao ano.

AS ESTRADAS

Enquanto os vizinhos dos astecas, os maias, possuíam estradas elevadas e pavimentadas chamadas de Sacbeob nas regiões mais ao sul, os astecas nas terras altas e centrais da Mesoamérica não tinham a necessidade de estradas tão complexas.

É sabido que os astecas possuíam essas estradas que juntas formavam uma complexa rede de rotas comerciais, que também não foram totalmente desvendadas, pois, assim como as estradas, existem poucos restos arqueológicos delas.

Os comerciantes astecas seguiam por essas estradas enquanto carregavam as pesadíssimas cargas de mercadorias. Guarnições astecas eram estabelecidas em pontos estratégicos para que fossem evitados furtos e assaltos. Canoas eram utilizadas apenas nas rotas fluviais e no mar, em águas próximas da costa.

Registros feitos após as conquistas fazem referências a estradas, a deuses nas suas margens, a ruínas e mensageiros. Acredita-se ter havido uma estrada que conectava Veracruz a Tenochtitlán.

AS ROTAS COMERCIAIS

As rotas comerciais astecas eram extensas e numerosas. Os comerciantes operavam do centro do império, em Tenochtitlán e em Tlatelolco, e iam em direção ao norte para os estados de Zacatecas, Durango, Querataro e Hidalgo.

Embora os especialistas saibam mais das negociações ocorridas no sul do império, os astecas utilizavam alguns caminhos principais para comercializarem.

Um caminho que seguia para Oaxaca, outro que seguia para a costa do Golfo do México e outro que seguia para o interior do continente eram amplamente utilizados. Além das rotas terrestres, os astecas também utilizavam vias fluviais. De Xicalango a El Petén, os comerciantes se deslocavam pelo rio, de canoa.

5
OURIVESARIA E TECELAGEM

COMO OS ASTECAS SE TRANSFORMARAM EM
OURIVES MELHORES QUE OS PRÓPRIOS EUROPEUS
E COMO A TECELAGEM DITAVA A CAMADA SOCIAL
À QUAL O INDIVÍDUO PERTENCIA

Um dos relatos mais marcantes da história da invasão espanhola nas terras astecas foi graças ao ouro de Moctezuma II. O imperador asteca na época ouviu os relatos de seus espiões sobre a chegada dos exploradores e decidiu enviar presentes como um ato de bom grado.

Mal sabia Moctezuma II que os presentes fariam mais mal que bem, ao atiçar a cobiça espanhola pelas riquezas ameríndias, uma vez que os presentes eram um disco de ouro maciço do tamanho de uma roda de carroça e um disco de prata maior ainda.

Os discos de ouro e prata representavam o Sol e a Lua, e celebravam a proeminência dos astecas, que se intitulavam "filhos do Sol".

Claro que, após a chegada dos espanhóis, quase a totalidade das peças esculpidas pelos astecas em metais preciosos e descritas pelo próprio Cortés como material "que nenhum outro ourives do mundo poderia ter feito melhor", não sobreviveram à ganância europeia que derreteu e fundiu todas as riquezas astecas.

OS OURIVES E A METALURGIA

A profissão de ourives era muito respeitada na sociedade asteca pelo fato de que somente à nobreza era permitido o uso de ouro, prata e outras joias. Os ourives eram responsáveis também por produzir os ornamentos e objetos rituais que eram utilizados em templos por todo o império.

A ourivesaria era um ofício hereditário. Os filhos e filhas dos ourives aprendiam a arte de fundir e esculpir os metais a serviço dos nobres, do imperador e dos deuses.

Havia ourives que trabalhavam exclusivamente no palácio de Moctezuma em Tenochtitlán, produzindo objetos de ouro exclusivamente para o tlatoani e sua elite privada de nobres. Esses artesãos eram isentos de pagar impostos, devido ao seu prestígio.

AS TÉCNICAS DE FUNDIÇÃO E MODELAGEM

As técnicas de fundição do ouro possuem uma história peculiar. Os artesãos mesoamericanos não eram tão chegados à ourivesaria quanto seus vizinhos sul-americanos, os incas.

Os mesoamericanos não elaboraram joias e nem trabalharam com o metal até 800 d.C., enquanto os incas e os sul-americanos já trabalhavam com ourivesaria desde 2000 a.C. Assim, as técnicas de ourivesaria e trabalho com metais foram lentamente se espalhando pela América do Sul, até que pelas rotas comerciais, chegaram séculos depois na Mesoamérica.

Essas técnicas demoraram quase 3 mil anos para chegar à Mesoamérica, tanto em Yucatán quanto nos assentamentos costeiros ocidentais do México.

Entre as técnicas empregadas estão a da cera perdida, em que o objeto modelado em cera e recoberto por uma camada de argila era exposto ao fogo até que a cera derretesse por orifícios no molde. Então, era aplicado o metal derretido no molde quente, que dava a forma ao material. Depois de pronto a peça era retirada do molde e recebia polimento até estar pronta.

Entre os objetos mais produzidos, estavam joias, brincos, anéis, colares, braceletes e outros adereços em ouro puro feitos especialmente para a nobreza, bem como agulhas, anéis, pinças e lâminas de machados.

OS TECELÕES E OS PLUMACEIROS

Poucos pedaços de tecidos sobreviveram às retaliações espanholas, contudo, muitos possuíam formas geométricas e padrões. Os tecelões trabalhavam com panos de algodão e tintas extraídas de minerais, plantas e insetos.

Já os plumaceiros, ou amantecatl na língua asteca, que trabalhavam com material sagrado como as penas do quetzal, possuíam até mesmo seu próprio bairro em Tlatelolco. A arte plumária era muito desenvolvida na sociedade asteca e servia a uma pequena parcela da população.

Assim como os ourives que serviam quase em sua totalidade à nobreza e aos templos do império, os plumaceiros eram muito respeitados e trabalhavam com o principal artigo do comércio mesoamericano, junto com outras peças de luxo.

Escassos, as plumas e os objetos emplumados eram muito utilizados como oferendas religiosas. As de quetzal, ave típica da América Central, eram especialmente valiosas pelo seu comprimento e sua cor de jade.

AS VESTIMENTAS

As roupas astecas eram muito parecidas mesmo entre as classes sociais, embora houvesse uma distinção clara entre as vestimentas da nobreza e as vestes das pessoas comuns.

Os camponeses e pescadores andavam com muita frequência descalços, além de usarem apenas um simples tapa-sexo, muitas vezes. Os mais ricos possuíam tapa-sexos de algodão e capas chamadas de tilmatl.

Os nobres mais importantes usavam roupas cobertas com plumas e adornos feitos de ouro e jade. As autoridades usavam um colete colorido, chamado de xicolli.

Podiam usar sandálias, chamadas de caclí, que eram feitas de fibras vegetais ou peles de animais, sempre fechando o calcanhar para proteger os pés. Também, em algumas situações, usavam botas de borracha.

As mulheres usavam cúeitl, uma saia enrolada na parte baixa do corpo e presa na cintura por um cinto de tecido. Em Tenochtitlán, as astecas vestiam uma camisa até a cintura, chamada de que se chamava huipil, ou, dependendo da região, vestiam uma capa chamada de quechquémimtl.

AS CORES

Os astecas faziam de tudo para adicionar cores em suas vestimentas, bem como descobrir novas tonalidades para o vestuário. Usavam vegetais e até animais para criarem os corantes para os fios.

Insetos encontrados em cactos e em outras plantas, bem como moluscos eram usados para produzir uma cor escarlate brilhante ou até uma tonalidade de roxo semelhante ao púrpura atual.

As vestimentas se destacavam padrões e nelas eram impressos símbolos como sol, conchas, peixes, penas, cactos, coelhos e borboletas.

As cores eram utilizadas de acordo com o status da pessoa que a estivesse usando e por isso havia leis com relação à cor e ao material das roupas. Sacerdotes usavam preto ou panos verdes escuros bordados com ossos e crânios, enquanto o tlatoani era o único permitido a usar azul-turquesa.

6
AS LEIS E O EXÉRCITO

O MAIS PODEROSO EXÉRCITO DE TODA A AMÉRICA CENTRAL TINHA FORÇA PARA DIZIMAR CIDADES E CIVILIZAÇÕES, ALÉM DE UM RÍGIDO SISTEMA DE LEIS QUE NÃO ADMITIA PREGUIÇA OU CORRUPÇÃO

As leis astecas, assim como em outras civilizações pré-colombianas, eram feitas para estabelecer a ordem social e garantir a convivência pacífica de todos dentro do império. Acima disso, as leis astecas serviam como modelo para o povo.

Elas abordavam diversos tipos de aspectos referentes à vida da população. Existiam leis sobre a situação econômica, sobre a herança, sobre casamentos e até mesmo sobre a obediência que deveria ser dada ao estado e ao império.

É sabido que o sistema legal asteca existe desde o primeiro tlatoani. Contudo, foi a partir do governo de Moctezuma Ilhuicamina que as leis foram revistas e aplicadas de forma mais significativa, garantindo a eficiência do sistema legal.

Atribui-se a Motecuhzoma Ilhuicamina o fato de que as leis astecas fossem honestas e justas, garantindo que elas serviriam igualmente para todos.

O SISTEMA JUDICIÁRIO

O sistema judiciário asteca era o que tornava possível as leis serem obedecidas e aplicadas de forma justa a todos. Juízes e outros agentes da lei tomavam posição em todas as partes do império para que julgamentos fossem realizados pelas autoridades do império.

A maioria dos juízes eram nobres. Um juiz principal era a autoridade maior em um julgamento asteca, enquanto um júri formado por diversos outros juízes era composto para auxiliar os acusados e também o juiz principal.

Após a formação dessa corte, eram ouvidos os relatos das testemunhas que presenciaram o crime ou mesmo analisadas outras provas substanciais à acusação. Depois de analisadas as provas e as acusações, o júri se reunia com o juiz para decidir o veredito.

Se uma pessoa fosse muito importante para o império, como um funcionário chave de alto escalão ou um nobre muito distinto e conhecido, o julgamento poderia ser levado ao juiz chefe de toda a civilização asteca, o imperador.

Contudo, na maioria dos casos o acusado não possuía tamanho prestígio, o que fazia com que o julgamento corresse normalmente. Após o júri decidir se o acusado era culpado ou não, era dada a sentença pelo juiz principal com base no código legal escrito pelos astecas.

OS CRIMES E AS PUNIÇÕES

Os crimes na sociedade asteca não eram muito diferentes dos que se presencia nos dias de hoje, e as punições eram muito diferentes quando se tratava de gênero ou classe social, por exemplo.

As sentenças dos nobres eram mais severas do que as das pessoas comuns, uma vez que os nobres usufruíam de privilégios e deles se esperava que refletissem antes de cometer um crime.

O pior crime que uma pessoa, seja ela da classe social que fosse, poderia cometer era o de traição. A traição contra o império não era encarada como uma traição ao rei, mas sim a todos os astecas e por isso o traidor recebia pena de morte.

A pena para traição era a mais severa de todas, pois não somente o traidor era punido, mas sim todos os envolvidos com ele. Assim, enquanto o traidor era sentenciado à pena de morte sua família perdia todas as propriedades e bens e suas crianças eram vendidas como escravas.

A sentença de morte também podia ser aplicada a pessoas que cometessem crimes como assassinato, adultério (independente do sexo do adúltero) ou mesmo grandes roubos. Como não existiam bancos no império asteca, um grande roubo era caracterizado pela movimentação das marcações de terreno.

Ser flagrado movendo os marcadores de limite de terrenos era considerado um roubo de terra.

Um crime certamente incomum era o da bebedeira. Pessoas que fossem pegas em locais públicos bêbadas recebiam diversos tipos de punições. Na primeira vez a pessoa teria sua cabeça raspada e sua casa destruída. Caso houvesse uma segunda incidência, a pessoa recebia pena de morte.

Qualquer pessoa comum que estivesse usando roupas de algodão, de uso exclusivo da nobreza, era sentenciada à morte por meio de apedrejamento, espancamento ou estrangulamento.

Pessoas que cometessem crimes menores poderiam corrigir seu delito consertando seus erros. Por exemplo, se uma pessoa roubasse um bem e logo depois se arrependesse e devolvesse esse bem, era perdoada.

Contudo, os crimes de roubo, bem como roubar terras e sequestrar alguém, eram puníveis com o culpado sendo vendido como um escravo. Qualquer comerciante que estivesse vendendo bens de qualidade baixa ou feitos com menor qualidade propositalmente também eram punidos com a perda de suas propriedades.

As pessoas que fossem pegas praticando a fofoca, que para os astecas era quando uma pessoa falava mentiras ou falsas acusações a outra, tinha um de seus lábios cortados. Juízes que tivessem beneficiado algum conhecido ou parente em julgamento, bem como aceitado propina ou suborno, era executado.

A GUERRA PARA OS ASTECAS

Os astecas possuíam dois tipos de obsessões. A primeira era sem dúvidas a obsessão pela morte e por tudo ligado a ela, como os sacrifícios e as sangrias desenfreadas. A outra era, também sem dúvidas, a guerra.

Povo belicoso por natureza, os astecas viam a guerra como o único meio de fornecer alimento para os deuses, sob a forma de corações e sacrifícios, o que tornava os confrontos uma necessidade constante e, por vezes, absurda.

Havia o costume, entre os astecas, de quando não houvesse guerra nenhuma, se criar uma de caráter cerimonial chamada de Xochiyaoyotl ou "guerra florida", com a finalidade exclusiva de conseguir alimento para os deuses.

Para os astecas não havia honra maior que morrer com as armas em punho, ou então como glória suprema, a morte pelo sacrifício aos deuses. Para os guerreiros astecas o campo de batalha era um local sagrado e o pedaço de terra mais valioso do universo.

Contudo, mesmo que a morte não os assustasse, seu objetivo não era matar o inimigo e sim capturá-lo para servir de alimento aos deuses, bem como conquistar o território para que pagasse impostos e agregassem força e valor ao império.

O objetivo da guerra era expandir território e aprisionar o inimigo, mais do que matá-lo.

O NÚMERO DE SEUS EXÉRCITOS

O exército asteca poderia ser composto de apenas um punhado de soldados e alguns comandantes. Se a batalha exigisse números pequenos, poderia ser composto apenas do grupo de elite que resolveria as coisas de forma rápida e furtiva, ou mesmo de todos os homens do império.

Isso porque todos os homens astecas, desde crianças, recebiam treinamento militar mesmo que não seguissem na carreira. Portanto, quando havia uma guerra muito grande a ser travada, os astecas convocavam homens de todas as regiões para a luta.

Era esperado que cada calpulli, que era avisado antes sobre o início de uma guerra, enviasse as linhas de frente pelo menos 400 guerreiros por comunidade, juntamente com os suprimentos.

O exército poderia, assim, ser dividido em grupos de até 200 homens, o que equivaleria hoje a um pelotão. Uma unidade básica, porém mais larga, teria em torno de 8 mil homens e equivaleria hoje a um batalhão. Se a guerra fosse realmente de proporções apocalípticas, era possível reunir mais de 25 unidades, o que daria mais de 200 mil guerreiros.

Algumas cidades poderiam não ter tantos guerreiros para ceder. Era estimado que apenas uma pequena porcentagem de cada cidade ou calpulli fosse composta por militares. Tenochtitlán tinha cerca de 200 mil habitantes, dos quais 6% deviam estar presentes no exército regular.

OS TIPOS DE GUERREIROS E O EXÉRCITO ASTECA

O exército asteca possuía seus soldados, tenentes, generais e o comandante supremo, o imperador. No entanto, por terem sido o maior e mais temido exército de toda a Mesoamérica, eles possuíam diversas classes militares e uma rígida hierarquia militar.

Confira cada segmento do exército, suas tarefas e como eram formados desde os guerreiros mais rasos até os regimentos de elite do império.

CUACHICQUEH

Esse grupo era chamado de "guerreiros raspados", graças a seu usual corte de cabelo em forma de moicano, com as laterais da cabeça raspadas por inteiro.

Formavam uma das classes mais admiradas de guerreiros astecas graças a seus códigos de honra e conduta de nunca retroceder em uma batalha e jamais recuarem frente a um inimigo, por mais mortal e desvantajoso que o combate pudesse ser, sob pena de serem mortos por seus aliados se recuassem.

"Sua resistência e paciência também eram proverbiais, sendo capazes de permanecerem vários dias imóveis, sem comer ou beber, até efetuarem um ataque surpresa fulminante e devastador", conta A. S. Franchini na obra *As melhores histórias das mitologias asteca, maia e inca*.

Para entrar para os "guerreiros raspados", o candidato deveria ter grande resistência, pois eles andavam praticamente desnudos, uma vez que o tempo não deveria incomodá-los, e ter capturado diversos inimigos em ações heróicas.

OTONTIN

Apesar de manterem um código de honra semelhante em parte ao dos Cuachicqueh, os otomis (outro nome dessa classe guerreira) não eram muito bem vistos pelo resto do exército, bem como pela sociedade.

Os otomis não eram uma etnia bem vista, por não entenderem o idioma nahuatl dos astecas.

Graças a serem "inábeis", eles ficavam com a função de protetores dentro das táticas militares astecas. Os otomis deveriam dar cobertura e proteção a três ou quatro guerreiros que fossem novatos, e jamais retroceder em batalha.

COYOTL

Esse grupo de guerreiros era semelhante a algumas outras guarnições astecas graças às suas vestimentas. O nome coyotl se refere ao coiote, animal adotado como símbolos desses guerreiros.

Vestiam-se com peles desse animal, cuja cabeça servia como elmo, e da abertura de sua boca saíam as faces ávidas de sangue dos guerreiros. Não se tem muito conhecimento sobre sua função específica dentro do exército e das táticas militares, contudo, sabe-se que eram extremamente aguerridos e ferozes.

TZITZIMITL

Esses guerreiros eram muito temidos por assumirem a forma dos monstros Tzitzimime, que segundo as lendas astecas tinham a terrível missão de devorar toda a humanidade no final do quinto sol.

O maior destaque dentro dos trajes desses guerreiros eram as tatuagens, os desenhos no peito, que eram ou um fígado ou um coração, associados ao sacrifício humano e à caça de alimento aos deuses.

"Seu capacete era uma caveira, da qual emergia um rosto bem vivo, mas ávido de espalhar a morte", conta A. S. Franchini na obra *As melhores histórias das mitologias asteca, maia e inca*.

PARDOS

Essa é uma das categorias militares mais interessantes dentro da hierarquia asteca, por ser o grau máximo que qualquer pessoa comum que tivesse dedicado sua vida à carreira militar poderia alcançar.

Esses guerreiros, que eram considerados a elite e os mais habilidosos, se comparados com todas as categorias de militares que não eram formados pela nobreza, possuíam como seu animal protetor o lobo.

Esse grupo militar era tão bom quanto os guerreiros da nobreza, mas por terem vindo de classes mais baixas, eram chamados de pardos para que houvesse uma identificação, mesmo que seus feitos tenham obtido o mesmo mérito das categorias de guerreiros águia e guerreiros jaguar.

OCELOPILLI

Um dos guerreiros astecas mais respeitados, honrados, temidos e poderosos de toda a Mesoamérica e da história do império foram os guerreiros pertencentes à categoria dos ocelopilli, ou guerreiros jaguar.

Classificados, assim como os cuauhpilli, como a tropa de elite do México antigo, eram os guerreiros mais ferozes, resistentes e imbatíveis que havia, juntamente com os cuauhpilli.

"Segundo a crença asteca, águias e jaguares eram a representação totêmica do Sol: enquanto a águia representava o Sol diurno, o jaguar representava o astro em sua descida noturna às trevas do inframundo", conta A. S. Franchini na obra *As melhores histórias das mitologias asteca, maia e inca.*

Enquanto os cuauhpilli exibiam determinada destreza com operações de alto risco, os guerreiros jaguar eram os que lideravam os exércitos, marchando sempre à frente de todos.

Seu traje era feito de tecido imitando uma pele de jaguar, ou por vezes a própria pele podia ser usada também. Ela recobria o corpo inteiro, enquanto um capacete idêntico à cabeça do felino mostrava toda a selvageria dos militares de elite.

CUAUHPILLI

Essa categoria, assim como os ocelopilli, era composta apenas pelos mais destemidos guerreiros da nobreza asteca e dispunha

Máscara de guerreiro jaguar asteca

do reconhecimento necessário às altas classes, como o grupo de ranking mais alto dentro do exército imperial.

"Alguns autores sugerem que ambos fizessem parte de uma única milícia, chamada cuauhtlocelotl, nome composto de 'águia' e 'jaguar'", conta A.S. Franchini na obra *As melhores histórias das mitologias asteca, maia e inca*.

Vestiam-se como águias, com o corpo coberto de penas e elmo idêntico à cabeça de águia, além de receberem alguns privilégios. Ao ingressar nessa casta militar, o guerreiro águia ficava isento de pagar impostos, recebia autorização para possuir mais de uma mulher, beber pulque em público e comer carne humana nos festivais.

Havia dois quartéis generais. Um chamado Cuauhcalli, que significa "Casa das Águias" e era um anexo do Templo Maior, em Tenochtitlán, e outro no coração das montanhas próximas a Malinalxochtli, cidade vizinha à capital asteca.

Esse santuário nas montanhas permanece até hoje. Sua entrada é uma cabeça de serpente com a língua bifurcada agindo como um tapete de pedra, enquanto uma águia esculpida no chão brilha com os raios de sol do solstício de inverno. Era nesse recinto que ocorriam os ritos de iniciação para a entrada na elite militar.

OS ARMAMENTOS

Os astecas possuíam os mais diversos armamentos que um exército poderia ter. Confira as armas mais famosas e mais usadas pelos lendários guerreiros da América Central.

MACUAHUITL

Esse armamento é um dos mais distintos e famosos de todas as armas já criadas pelos astecas. Terrivelmente temido e perigoso, o macuahuitl era uma espécie de espada de madeira que possuía lâminas de obsidiana em todas as suas extremidades, como os dentes de uma serra elétrica, por exemplo.

Existiam dois tipos de machuahuitl. Uma delas era utilizada de forma mais branda e possuía 70 cm de extensão. A outra possuía o dobro do tamanho.

TEPUTZOPILLI

Não tão famoso quanto o macuahuitl, o teputzopilli era uma lança comprida com a ponta revestida de cacos de obsidiana em um formato que se assemelhava muito ao de uma pinha.

Testada até mesmo por Hérnan Cortés contra Pánfilo de Narváez (outro conquistador espanhol) em uma guerra interna para ver quem ficava com a maior parte dos espólios, a lança servia mais para afastar os inimigos e mantê-los a uma distância segura do que propriamente ferir os adversários.

ATLATL

Esse armamento não foi exclusivamente utilizado pelos astecas. Já foram encontrados exemplares em tribos aborígenes australianas e outros indígenas da Polinésia.

A arma era uma espécie de propulsor que aumentava exponencialmente a velocidade dos dardos e lanças arremessados pelos astecas. A distância podia chegar até 200 metros. Eram normalmente feitos à base de madeira, embora a arma pudesse ter uso cerimonial, e para tal, era feita de ouro com ornamentos em pedras preciosas.

TEMATLATL

Esse era o nome dado à funda asteca. Feita da fibra extraída do maguey, uma espécie de planta, servia para que os atiradores astecas arremessassem pedras, geralmente polidas e preparadas pelas mulheres, a uma distância de até 100 metros.

TLAHUITOLLI

Esse era o nome dado pelos astecas ao famoso arco, do conjunto arco e flechas, sendo estas últimas chamadas de mitl. As pontas das mitl eram confeccionadas com os mais diferentes tipos de materiais.

Além das famosas pedras de obsidiana afiadas, também se podia fazer pontas de sílex, pedernal e até mesmo de espinhas de peixe. A minacahalli era a flecha mais temida em todas as guerras. Sua ponta se assemelhava à de um arpão, o que tornava impossível a remoção dela sem hemorragias fatais.

CHIMALLI

Este era o nome asteca dado para o escudo. O escudo asteca era o mais famoso de toda a Mesoamérica e constava como uma das poucas armas defensivas do arsenal bélico dos ameríndios.

Feito de madeira e revestido com couro, pele de animais ou plumas de aves, os escudos possuíam de 20 a 75 centímetros de diâmetro e eram uma forte proteção contra as armas daqueles tempos.

Em sua parte interna havia duas tiras de couro que serviam como suporte para prendê-lo no braço. Os escudos mais ornamentados eram dados como prêmio aos guerreiros mais valentes.

Ponta de flecha asteca feita de Obsidiana

7
A CURA E A NATUREZA

BASEADA EM REMÉDIOS NATURAIS E NA CURA ESPIRITUAL, A MEDICINA ASTECA PROVIA AO CORPO TANTO A CURA FÍSICA QUANTO A ESPIRITUAL

A medicina asteca era uma das mais avançadas de toda a antiga América Central. Os curandeiros e médicos sabiam exatamente como tratar seus pacientes e eram especialistas por si só, nos diversos tipos de remédios naturais que eram encontrados pela região.

Para os astecas, a causa das doenças era tanto física quanto mística. Diziam que o Deus da Serpente Emplumada – Quetzalcoatl – se aventurou no inframundo para recolher os ossos dos humanos mais antigos para assim fazer os humanos da geração dos astecas.

Contudo, preso por uma armadilha, o deus deixou cair os ossos que se quebraram em mil partes. Sem solução, e já na morada dos deuses, as divindades moeram os ossos antigos e misturaram com seu sangue, o que resultou nos novos humanos.

No entanto, era graças a essa lenda que os astecas acreditavam que o humano sofria com doenças, envelhecimento e morte.

TRÊS CENTROS ESPIRITUAIS

Dentro dos estudos astecas sobre as enfermidades, as doenças e a medicina de forma geral, os ameríndios aprenderam muito sobre o ser humano, e acreditavam que as pessoas deviam estar em harmonia para, assim, viverem bem.

Assim como o universo, que tinha uma estrutura celestial superior, terrenal na média e o mundo inferior, na base, também as pessoas tinham três centros espirituais, que fazia o ser humano estar em sintonia com o universo, mas acima disso, de acordo com a medicina asteca, era o que fazia do ser humano um animal saudável e livre de enfermidades.

Com isso, o primeiro centro espiritual que poderia estar em desordem, de acordo com os astecas, era a cabeça que, chamada de tonalli que significa "calor", representava a estrutura superior e divina dos céus.

O segundo centro espiritual se chamava teyolia e representava a estrutura terrena do universo, que se situava no coração do ser humano. Por fim, o último centro espiritual e que representava o mundo inferior, e por isso a base do ser humano, se chamava ihiyotl e era representado no fígado do ser humano.

O EQUILÍBRIO

A visão totêmica asteca de que o corpo era formado por três

centros espirituais era concisa. Assim como as três grandes partes do universo deveriam estar em ordem e equilíbrio para funcionarem em harmonia, assim deveria ser com o ser humano.

Essa ordem espiritual tinha de ocorrer de forma plena para que o ser humano sempre fosse saudável.

Um acidente, ou mesmo algum acontecimento trágico e inesperado, poderiam mexer com a pessoa de tal maneira que os astecas afirmavam que seus centros espirituais não estavam em equilíbrio ou sintonia.

Um exemplo disso é que se uma pessoa tivesse um choque ou uma grande agitação emocional, diziam que sua ihiyotl estava danificada. O conceito de alma também é muito trabalhado na medicina asteca, quando se liga ao tonalli, que é a "viagem" do corpo para outra vida, após a morte.

A ESPIRITUALIDADE NA PRÁTICA

Os centros espirituais astecas não eram somente material teórico dos médicos, eles desenvolviam, de acordo com os astecas, diversos sintomas de alteração ou mesmo serviam de motivo para que algumas as coisas fossem do jeito que fossem na sociedade.

Por exemplo, o tonalli, por representar o "calor" celestial, era o responsável por tornar o corpo dos seres humanos quentes. Portanto, quando um cadáver ficava gelado era porque seu tonalli havia ido embora.

Mais que isso, o tonalli representava além do calor literal, aquilo que movia os seres humanos. Os guerreiros que viviam uma vida austera e possuíam bravura na batalha tinham seu tonalli reforçado, enquanto em momentos como no sexo ou na embriaguez, o tonalli se dissipava pelo corpo.

Os mais velhos tinham um tonalli mais forte, por isso eram mais respeitados.

É possível colocar os outros dois centros espirituais em orientações práticas também. O teyolia, que representava no coração o segundo centro espiritual, era responsável pelos pensamentos, os impulsos criativos e a personalidade humana.

Os grandes poetas de Tenochtitlán possuíam um teyolia muito forte e graças a isso conseguiam realizar essa profissão. Contudo, quem possuía um grande teyolia também era, na maioria dos casos, prejudicado pela atividade sexual.

O terceiro, e último, centro espiritual era o ihiyotl, que representado no fígado dos seres humanos estabelecia a base, ou o mundo inferior de todas as pessoas. Nele, estavam alojadas a energia, o alento vital e os desejos dos seres humanos. Aos preguiçosos e inapetentes era atribuído um ihiyotl enfermo.

AS DOENÇAS E AS MALDIÇÕES

Acreditava-se que as doenças, na sociedade asteca e em toda Mesoamérica, eram causadas por alguma desordem cósmica que desalinhava os pontos espirituais das pessoas, e fazia com que elas permanecessem enfermas.

Contudo, os astecas também sabiam que algumas enfermidades eram causadas por fatores climáticos, ou por algum tipo de alteração física. Assim, partindo desse tipo de visão, as doenças podiam ter causas físicas e espirituais e, consequentemente, remédios da mesma natureza.

Pela natureza física das doenças, os astecas sabiam da existência de enfermidades como o resfriado comum, a bronquite, a tuberculose, doenças de pele causadas por fungos, bem como sinais de infecção, como o pus.

A Matlazahuatl, por exemplo, era associada à febre amarela e recebia esse nome quando o paciente apresentava sinais de febre súbita, icterícia, dores abdominais e delírios. Os astecas tinham também conhecimento de doenças sexuais, como a gonorreia.

OS TRATAMENTOS

Por mais que toda a sociedade se ajudasse em tempos de necessidade, os tratamentos no império asteca não eram gratuitos. Sem nada que se assemelhasse a um sistema de saúde, os astecas dependiam do financiamento privado para sustentarem a medicina local.

Mesmo que alguns jardins botânicos tivessem as plantas necessárias para um tratamento, o trabalho dos médicos precisava ser pago de alguma forma, e era nesse momento que as fortunas pessoais entravam.

Cultivadas nos jardins botânicos, algumas espécies eram cultivadas para experimentos médicos custeados pela realeza, que recebiam tratamento médico em troca. Contudo, as pessoas comuns e que não possuíam tanto poder aquisitivo eram obrigadas a aprender por conta própria como se tratarem. Se não houvesse um modo de eles mesmos cuidarem de suas doenças, se sujeitavam aos médicos.

Para isso, se ofereciam como cobaias a esses cientistas que testavam uma série de plantas e outros tratamentos medicinais experimentais nos corpos dessas pessoas. O tratamento, mesmo que gratuito, era puramente empírico e experimental, e só seria aplicado à pessoa se a mesma jurasse voltar para contar aos médicos os resultados do tratamento para embasar suas pesquisas.

OS JARDINS BOTÂNICOS

Para a confecção de remédios dos mais diversos tipos e para as mais diversas doenças, os astecas utilizavam o conhecimento dos peritos em jardinagem com os especialistas em medicina.

Nos jardins botânicos de Huaxtepec e Texcotzingo, jardineiros especialistas cultivavam plantas medicinais, e a maioria das pessoas sabia se cuidar com essas plantas.

Essa união entre os médicos e os jardineiros especialistas promoveu uma série de bons cultivos das mais diversas plantas. O uso dessas plantas, contudo, já era muito difundido em toda a Mesoamérica, o que facilitou o trabalho dos astecas.

Fazendeiro mexicano no meio de uma plantação de Maguey, ou Agave

A PLANTA DE MIL UTILIDADES

A maguey era muito utilizada na época das civilizações antigas por ser versátil e ter inúmeras usabilidades.

Os antigos faziam da planta material bruto para a produção de folhas de papel, para a confecção de peças de tecido impermeável, além de cobertura para choças. Seus espinhos serviam como agulhas e alfinetes, enquanto a raiz podia ser consumida como alimento.

Açúcar, mel, vinho, vinagre e medicamentos para várias enfermidades eram extraídos do seu suco. A planta também fornecia água para os povos dos altiplanos mexicanos.

AS PLANTAS MEDICINAIS

A farmacopeia asteca era uma das mais ricas de toda a Mesoamérica. Ao todo, o conquistador espanhol Hernán Cortés mencionou cerca de 4 mil plantas medicinais e deu a mais de 1.200 destas plantas uma descrição de onde cresciam e suas qualidades terapêuticas.

O próprio Bernardino de Sahagún dedicou o décimo primeiro volume de seus relatos a essa flora. Os médicos astecas foram precisos em suas descobertas e hoje se sabe que estavam certos sobre as propriedades de cura de plantas que serviam como antissépticos, febrífugos, diuréticos entre outros.

Hoje, ainda são utilizadas algumas das plantas que os astecas catalogaram séculos atrás, como a erva do gato, muito usada como calmante, ou *yerba buena* que assim como no império asteca, serve para tratar dores no estômago e outros tipos de desconfortos.

OS MÉDICOS ASTECAS

Os médicos astecas eram muito respeitados. Assim como hoje os médicos possuem diversas especialidades, no império asteca os médicos eram divididos em dois grupos. Um dos grupos tratava dos sintomas físicos, enquanto outro grupo agia nos sintomas espirituais.

Os médicos eram divididos assim, pois para os astecas a cura era sagrada, não bastava curar os sintomas físicos se internamente o espírito estivesse fraco. Por isso a palavra teopatli que significa médico na língua asteca, vinha de *teo* (sagrado) e *patli* (artes médicas).

Os tlametpatli, que correspondem aos atuais especialistas em homeopatia, tratavam de problemas cardíacos, gástrico e respiratório. Remédios homeopáticos eram vendidos nos mercados do império asteca.

Sobre o tom místico, os astecas acreditavam que quando alguém ficava doente era obra da fúria de algum deus, ou mesmo de magia negra, vinda de algum bruxo maligno, e assim, o papel dos médicos não era somente o de combater a doença, mas apaziguar a ira dos deuses e rebater as magias negras dos xamãs malignos com magia de cura.

CIRURGIÕES DO EXÉRCITO

Durante as batalhas, o exército asteca conseguia capturar diversos tipos de prisioneiros mas também se feria gravemente dependendo do tamanho e da ferocidade das investidas. Para tal, contava com um time de médicos experientes que ficavam nos arredores dos campos de batalha e na retaguarda esperando para dar tratamento.

Esses médicos portavam plantas e outros produtos naturais. Na maioria dos casos o soldado asteca sofria de hemorragia graças a cortes e pancadas. Assim, o médico limpava primeiro a ferida com qualquer líquido estéril que estivesse à disposição. Se não tivesse nenhum tipo de líquido desinfetante, era possível utilizar, em casos extremamente necessários, a própria urina.

Depois, pegava um pouco de coapatli, que era o nome asteca para a erva do galo, e aplicava no ferimento uma espécie de pasta feita dessa planta para estancar a hemorragia. A seiva do maguey, entre suas tantas utilidades, era usada como uma espécie de curativo.

Analgésicos naturais eram usados nos ferimentos. Facas de obsidiana eram usadas para fazer cortes e cabelos humanos eram usados em suturas.

8

SACRIFÍCIOS E MORTE

COM O FAMOSO JOGO DE BOLA E ESPORTES MAIS PERIGOSOS, COMO O JOGO DOS POSTES, OS ASTECAS ALIAVAM O LAZER À RELIGIÃO EM REPRESENTAÇÕES RITUAIS COMPLEXAS

Os esportes eram uma das muitas vertentes que os mesoamericanos puderam se orgulhar dentro de sua cultura. Com o objetivo de relaxar de uma vida dura de trabalho e de promover uma melhor socialização, os astecas praticavam os mais diversos esportes, jogos e brincadeiras.

O tlachtli, nome mais popular, embora alguns estudiosos acreditem que poderia também se chamar ollamaliztli, como se chamava o esporte mais popular da Mesoamérica inteira para os astecas. Para jogá-lo, você deveria ser da nobreza e ser muito habilidoso com as partes que deveriam contar para o jogo, como o quadril e a cabeça, por exemplo.

O maior campo de bola, que se encontra em uma cidade maia, mede por volta de 68 x 166 metros de largura e a superfície para jogo tinha em torno de 36 x 146 metros quadrados, que eram preenchidos pelo campo em formato da letra "I", enquanto as paredes ficavam a mais de oito metros de altura e o arco de pedra para o jogo ficava na metade deste caminho.

AS REGRAS DO JOGO

As regras do tlachtli variavam de acordo com o local em que era praticado dentro da Mesoamérica. A quantidade de jogadores, os membros que poderiam tocar na bola ou até a marcação dos pontos eram algumas das variáveis apresentadas de acordo com a região.

No caso dos astecas, duas equipes de dois a 11 homens jogavam a bola feita de borracha extraída das árvores que produziam látex, com o objetivo de marcar pontos e assim ganhar a partida.

A bola era pesada e possuía de 15 a 20 centímetros de diâmetro e os jogadores jamais poderiam deixá-la tocar no chão. Já os jogadores só poderiam tocar na bola com a cabeça, os quadris, os cotovelos e os joelhos. Tocá-la com as mãos e os pés era proibido.

A marcação de pontos era o mais complicado. Para pontuar, os jogadores deveriam fazer a bola passar por um arco em uma parede lateral ao campo, no entanto, outras formas de pontuação eram aceitas.

O SIGNIFICADO RELIGIOSO

O jogo de bola teve grande conotação religiosa, fosse para os astecas ou para os maias. Os estudiosos afirmam que o jogo representava a ida do deus Sol aos infernos e sua vitória sobre os deuses do Mictlán.

É possível afirmar, também, que os jogos de bola apesar do misticismo e das lendas em torno da jornada dos deuses, não passassem de uma espécie de etapa para os ritos de fertilidade depois da semeadura dos campos, para que o deus da chuva fosse invocado e a colheita produzisse frutos.

O JOGO HOJE

O jogo ainda é praticado, principalmente em eventos folclóricos, nas terras do México, apesar de não ser mais conhecido nem como tlachtli nem como pok-a-tok, mas sim como ulama.

O ulama foi adaptado às diversas regiões e pode ter regras específicas em cada uma delas. Por exemplo, na região do norte de Sinaloa no México se joga utilizado o braço, enquanto em Cadera, outra região mexicana, os toques na bola são dados com os quadris.

O jogo, que havia sido praticamente esquecido, simbolizava uma parte viva da cultura dos antepassados mexicanos, e assim, de alguma forma foi revivido por pequenas tribos mexicanas na década de 1980.

Apesar de todas as mudanças, o jogo foi adaptado para que fosse possível jogar com poucas pessoas e não fosse necessário nenhum tipo de sacrifício ritual.

O JOGO DOS FEIJÕES

Na sociedade asteca havia diversos tipos de jogos, uns envolvendo habilidade, outros envolvendo azar, para os que não tinham o privilégio de participar dos jogos de bola pudessem ter um momento de lazer.

O patolli, como era chamado pelos astecas o jogo dos feijões, era um antigo jogo de azar em que os jogadores e os espectadores faziam apostas sobre os vencedores e perdedores.

Os jogadores moviam peças azuis e vermelhas por um tabuleiro em forma de cruz, apoiado em um local firme do chão, com 52 casas. O tabuleiro podia ser pintado em um tapete ou riscado com gesso ou argila.

O objetivo do jogo era levar todas as peças de uma determinada cor até o centro do tabuleiro de acordo com o que desse em um dado, que era lançado a cada turno pelos jogadores.

O tabuleiro tinha forma de cruz e parecia a simplificação do tabuleiro do original, jogado desde o século VII, em forma de edifício residencial.

Os dados astecas eram feitos de feijões talhados e conforme o jogo seguia as apostas ficavam mais altas. Cada um apostava o que podia. Os comerciantes ricos e os nobres apostavam imensas quantidades de ouro e joias, enquanto os que não tinham nada, graças ao vício, apostavam sua casa e até a própria liberdade.

OS JOGOS COM OS POSTES

Os jogos mais interessantes da sociedade asteca eram aqueles que envolviam postes. Isso porque os participantes precisavam ter força o bastante para subir e descer de postes altos. Essas provas estavam relacionadas ao festival do deus Huehuetéotl, cuja imagem era colocada no cume do poste e deveria ser alcançada pelos competidores.

Os espanhóis chamavam de "voadores" os participantes de outro tipo de jogo asteca. Nesse outro jogo, cinco jogadores subiam até o alto de um poste. Quatro deles amarravam as canelas na parte mais alta do poste com uma corda, enquanto o quinto participante se posicionava em uma plataforma de madeira no topo do poste.

Esse quinto jogador portava uma flauta e um tambor e, assim, tocava os instrumentos dando início ao jogo. Os homens então, um por um, se atiravam da parte superior do poste dando voltas e voltas nele com a corda, até que chegando ao chão, se levantava e pegava a corda com as mãos.

Há relatos que, acima de um jogo, essa prática era exercitada como um momento de descontração e até com conotação religiosa, uma vez que um sacerdote do alto da pirâmide próxima lançava bênçãos ao povo e aos jogadores. Esse jogo, realizado pelos astecas, foi praticado até o início do século XXI na região da costa do golfo do México.

9

DA MATEMÁTICA
À ASTRONOMIA

ENTENDA COMO OS ASTECAS
DESENVOLVERAM UM SISTEMA COMPLEXO
DE CONTAGEM E O SEU CALENDÁRIO

A ciência asteca era em grande parte composta por um tipo de conhecimento empírico, ou seja, proveniente das experiências como os estudos médicos, todos baseados no uso diário, em testes e experimentações.

Não há como negar que, também, grande parte da ciência asteca possuía um fundo ou uma explicação que usava métodos místicos, como a cura espiritual asteca, por exemplo. Ainda assim, eles foram responsáveis por grandes avanços nos campos da matemática, medicina, astronomia, engenharia civil e militar.

Os astecas tinham conhecimento da astronomia, dos movimentos das estrelas e planetas e da relação desses corpos celestes com a passagem do tempo.

A MATEMÁTICA E A TECNOLOGIA

A matemática asteca era extremamente avançada. O uso dos números dentro da sociedade asteca podia ser útil para a agricultura, e o cálculo da área dos calpullis e das moradias, para a construção civil, e até mesmo para uso militar, como separação de batalhões, entre outros.

O sistema matemático dos astecas era baseado no número 20. A escrita dos números, contudo, é uma das mais confusas de toda a Mesoamérica. Baseados em um sistema similar ao dos maias, os astecas possuíam diversas maneiras de escrever seus números.

Os pontos representavam os números de 1 a 19, enquanto números maiores do que 19 eram representados pela junção de pontos com símbolos. Os astecas utilizavam bandeiras para o número 20, penachos para o número 400 e algo semelhante a uma bolsa para o número 8 mil.

O CALENDÁRIO

Os astecas possuíam um sistema calendário complexo, que servia para medir tanto as datas quanto estabelecer a contagem para os rituais. As origens desses calendários, no entanto, não são muito precisas.

Após a chegada do povo asteca nos vales do México, os estudiosos acreditam que ele tenha se apossado dos costumes olmecas e de seus estudos sobre a contagem do tempo e do calendário, por volta do século XIII d.C., há mais de 35 séculos.

Já para os astecas, a criação do calendário se deu pelo deus Quetzalcoatl que em uma reunião com Oxomoco e Cipactonal – considerados na mitologia asteca como o casal humano primordial e que tinham contato exclusivo com os deuses – decidiu que o calendário possuiria dois sistemas de contagem.

O deus havia feito isso para que os humanos, que naquela parte da mitologia asteca ainda nem haviam sido criados em larga escala, soubessem qual o destino que lhes aguardava e que deveriam regular seus atos para que se ajustassem ao tempo.

XIUHPOHUALLI E TONALPOHUALLI

O calendário asteca, assim como o calendário de outras culturas mesoamericanas, era dividido em dois tipos de contagem. A primeira era o Xiuhpohualli, conhecido como o "Calendário Solar", e o segundo era o Tonalpohualli ou "Calendário Ritual".

O calendário solar, ou Xiuhpohualli, possuía 365 dias assim como os calendários ocidentais modernos. Contudo, para os astecas, esses dias eram divididos em 18 meses com cerca de 20 dias em cada mês.

Dentro dos dois calendários havia uma espécie de período macabro no qual os astecas deveriam cessar suas festividades. O nemontemi eram os últimos cinco dias do calendário, que encerravam o ano. Os astecas acreditavam que esses dias eram amaldiçoados e traziam mau agouro.

Já o segundo calendário era o Tonalpohualli, ou o calendário ritual. Este, diferentemente do primeiro, era composto de 260 dias que eram divididos em 20 trezenas – períodos de 13 dias – que marcavam o início e o fim das festividades e dos períodos rituais.

Cada mês asteca tinha um nome e um deus supervisor do tempo e das demandas sobre o povo asteca e suas responsabilidades religiosas.

Calendário exposto no Museu Nacional de Antropologia da Cidade do México

A FORMA ESPIRALADA

A concepção de tempo para os astecas era totalmente diferente da utilizada pelas sociedades modernas. Mesmo mantendo um calendário solar de 365 dias, assim como os atuais, para eles o tempo era cíclico e seus séculos, menores.

Os astecas estimavam que seu século tinha 52 anos e, quando esse período se completava, os ameríndios ficavam em total apreensão sobre o que poderia acontecer, uma vez que no final de cada século o mundo poderia acabar.

O calendário solar ao lado do calendário mágico girava como rodas de uma mesma engrenagem, misturando suas datas até darem uma volta completa, completando-se, assim, o "século" asteca, composto de 52 anos.

Com isso, os astecas acreditavam que seu tempo era fluido e não corria em linha reta como os calendários modernos estão habituados a marcar, mas sempre em uma onda crescente e infinita, em uma contagem giratória que se repetia ciclicamente.

Um exemplar do calendário cíclico asteca, esculpido inteiro em pedra, foi encontrado em 1790 durante uma reforma na catedral localizada no centro da Cidade do México. Enterrado pelos espanhóis na conquista de Tenochtitlán e escondido por mais de 250 anos, na época, hoje está exposto no Museu Nacional de Antropologia da Cidade do México.

"Essa forma 'espiralada' de contabilizar o tempo ajuda, em muitos pontos, a compreender o modo asteca de vivenciar a história, expressa na confusão aparente que se observa, não só entre eles, como em todos os povos mesoamericanos, de atribuir uma mesma identidade a diversos personagens, míticos ou reais, espalhados ao longo dos séculos, ou ao hábito arraigado de fazer profecias" (Franchini).

10

O ZODÍACO

ENTENDA COMO ERA O ANO ASTECA, SEUS ACONTECIMENTOS, BEM COMO SEUS SIGNOS E SUAS PREVISÕES PARA CADA TIPO DE PESSOA

O calendário asteca, assim como o calendário de religiões que hoje possuem milhares de seguidores por todo o mundo, era dedicado às suas divindades e seres considerados sagrados.

Cada mês do calendário civil, que possuía 18 meses de 20 dias e mais cinco dias nefastos, abrigava uma festa para uma divindade específica. Confira como eram as datas e os festejos dos astecas.

ATLCOUALCO
Mês da Carência de Água
12 de fevereiro a 3 de março

O primeiro mês do ano asteca era dedicado exclusivamente aos deuses da chuva (Tlaloc) e da água (Chalchiuhtlicue), por ser uma época de muita seca e perda de produção das lavouras. Graças a isso, era um mês de muitos sacrifícios, principalmente os de crianças. Corações eram extraídos nos topos das montanhas.

TLACAXIPEHUALIZTLI
Esfoladura dos Homens
4 de março a 23 de março

Neste período os astecas dedicavam seus festivais ao deus Xipe Totec, um dos deuses agrários mais importantes do México. Como oferenda, os astecas sacrificavam escravos e prisioneiros de guerra que eram puxados pelos cabelos até o local da execução, mesmo que ficassem inconscientes no meio do caminho.

TOZOZTONTLI
O Pequeno Jejum
24 de março a 12 de abril

Esse era um dos meses mais "nojentos", de acordo com os frades espanhóis. Com diversas procissões para a deusa Coatlicue, os astecas sacrificavam crianças e escravos. Os sacerdotes ficavam extremamente fétidos, pois vestiam as peles dos sacrificados. Logo após o festival, os sacerdotes se banhavam incessantemente enquanto os donos dos escravos e crianças permaneciam sem contato com a água por aproximadamente 20 dias.

HUEY TOZOZTLI

O Grande Jejum
13 de abril a 2 de maio

Esse período no calendário era dedicado à deusa dos mantimentos, Chicomecoatl. As pessoas, em homenagem à deusa, besuntavam de sangue de orelha os enfeites com juncos pendurados nas portas das casas.

Mesmo com o sacrifício de crianças, havia uma parte do culto em que mulheres levavam as espigas de milho velhas em cestos representando o ano anterior enquanto uma imagem da deusa era feita em um tipo de farinha simbolizando a chegada de novas colheitas.

TOXCATL

Seco ou Escorregadio
3 de maio a 22 de maio

Nesse mês era comemorada a Páscoa dos astecas. Nela, eles sacrificavam ao deus Tezcatlipoca o jovem mais "perfeito" escolhido a dedo entre os candidatos. Vinte dias antes, esse escolhido recebia quatro belas moças para cuidarem de seus desejos sexuais, além de aprender flauta. No dia do sacrifício ele se despedia de suas concubinas e era sacrificado pelos métodos tradicionais da faca de obsidiana.

ETZALQUALIZTLI

Mingau de Milho e Feijão
23 de maio a 11 de junho

Com o pretexto de colherem bens e outros tipos de materiais para adornar os templos, os sacerdotes e religiosos ficavam alucinados nesta época do ano. Surrupiavam como ladrões até mesmo as roupas do corpo das pessoas, se elas deixassem, e quem não colaborasse era surrado impiedosamente.

Era época também de relembrar a fundação de Tenochtitlán, e por isso não comiam mais que peixes, patos e moscas aquáticas encontradas nos córregos da cidade.

Escravos eram mortos e seus corações eram transportados em canoas até o redemoinho da laguna. Lá eram arremessados com um casal de crianças vivas, a fim de receberem em troca as bênçãos dos tlaloques.

TLAXOCHIMACO
Nascimento das Flores
22 de julho a 10 de agosto

O principal deus homenageado neste mês ritual era Huitzilopochtli. Suas estátuas, assim como as de alguns outros deuses homenageados, eram enfeitadas logo no primeiro dia do ciclo festivo, com guirlandas e flores.

Um grande banquete era feito e os astecas comiam todos os pratos típicos que possuíam. Depois os homens dançavam abraçados com as mulheres e o baile se estendia por todos os lugares, desde os templos às casas dos nobres e dos plebeus.

Os idosos eram permitidos a beberem o octli nesta festa, mas somente eles. Os jovens que tentassem seriam severamente punidos. Curiosamente, não é documentado nenhum tipo de sacrifício neste mês ritual.

TECUHILHUITONTLI
Pequena Festa dos Príncipes
12 de junho a 1º de julho

Nos rituais desse período, que homenageavam ao deus Xochipilli, mulheres de todas as idades dançavam amarradas por uma corda que ligava umas às outras. Um velho sacerdote, então, após as danças festivas, conduzia as mulheres até a caverna de Tlaloc, onde a jovem escolhida era sacrificada depois de alguns cativos.

Oferendas de sal, conchas e outros artefatos marinhos eram lançados na água.

HUEITECUHILHUITL
Grande Festa dos Chefes
2 de julho a 21 de julho

Uma das tantas deusas do milho, Xilonen era a homenageada nesse período. Os nobres doavam um pouco do que tinham aos pobres e presenteavam a eles com tamales, um prato tradicional da culinária mesoamericana, feito de massa à base de milho. No entanto, no décimo dia do mês a matança recomeçava e uma jovem era carregada nos ombros dos sacerdotes até chegar ao grande altar no qual era decepada, em uma distorcida representação da separação do milho da plantação na hora da colheita.

XOCOTLHUETZI E HUEIMICCAIHUITL
A Caída dos Frutos e A Grande Festa dos Mortos
11 de agosto a 30 de agosto

Neste período dedicado ao deus do fogo Huehueteotl, acontecia o sacrifício mais tenebroso de todos. Prisioneiros eram amarrados nos pés e nas mãos e depois de drogados com alguma espécie de pó alucinógeno eram jogados às brasas para se debaterem como peixes fora d'água.

Depois de queimados, os sacerdotes os "pescavam" e retiravam seus corações, como de costume. Era nessa festa que aconteciam os jogos envolvendo uma série de postes altos, em que os astecas se divertiam.

OCHPANIZTLI
Varrição dos Caminhos
31 de agosto a 19 de setembro

Esse era um período de silêncio dentro do calendário ritual asteca. Os fiéis se dedicavam quase que exclusivamente à varrição dos templos em homenagem a Toci, uma das divindades mais antigas da Terra.

Era realizado um jejum rigoroso neste período, tanto de comida, quanto de conversa, além de ser executada até mesmo uma dança silenciosa. E, para não ser perdido o costume, o sacrifício de uma jovem era bem-vindo pelos deuses antigos.

TEOTLECO
Retorno dos Deuses
20 de setembro a 9 de outubro

Como era época de colheita, comemorava-se o retorno dos deuses à Terra para simbolizar o início da época de abundância. Uma espécie de bolo gigante feito pelos astecas era colocado no templo e o sacerdote principal vigiava-o até que os deuses imprimissem uma pegada nele. Para receber as divindades, os templos eram ornamentados de flores.

TEPEÍHUITL
Festa das Montanhas
10 de outubro a 29 de outubro

O homenageado neste mês era o deus da Chuva, Tlaloc, e seus

ajudantes, os Tlateloques. Para tal, eram carregados até o topo de uma montanha quatro mulheres e um homem em liteiras magníficas, representando os deuses.

Lá, cantavam e dançavam em homenagem às divindades e em seguida arrancavam os corações dos escolhidos e empurravam seus corpos pela montanha abaixo. Ao chegarem à base, suas cabeças eram arrancadas e presas em estacas na entrada do templo da base da montanha, enquanto o resto de seus corpos era trazido para o interior do edifício, onde comeriam a carne dos sacrificados.

QUECHOLLI
Ave Preciosa
30 de outubro a 18 de novembro
Festejos em honra ao deus da caça, Mixcoatl, eram preparados para o mês todo. Neles, durante cinco dias os astecas extraíam o sangue das próprias orelhas. Os homens não podiam coabitar com as mulheres e nem os idosos podiam tomar álcool. Caçavam e matavam alguns animais como cervos, e colocavam as setas no túmulo dos mortos.

PANQUETZALIZTLI
Festa das Bandeiras
19 de novembro a 8 de dezembro
Nesse mês era celebrada a festa de solstício do inverno em homenagem novamente a Huitzilopochtli. Como este era o deus da guerra, eram simulados combates por toda a capital, enquanto havia uma consagração de bandeiras e insígnias. Os guerreiros de elite faziam demonstrações e nos combates morriam muitos prisioneiros – mesmo sendo uma demonstração.

ATEMOZTLI
Caída das Águas
9 de dezembro a 28 de dezembro
Mais uma vez o deus da chuva Tlaloc era o homenageado do mês, e para tal os fiéis untavam as estátuas do deus com resinas de copal. As pessoas também faziam imagens dos deuses e ofereciam comida e danças aos totens, enquanto no último dia do mês jogavam papéis picados de suas casas em postes no pátio central das residências. Essas estátuas tinham um coração de mentira que era arrancado de seu

peito após sua cabeça ser decepada. Os astecas também lançavam nos rios flores ensopadas em sangue e figuras de papel.

TÍTITL
Recolhimento
29 de dezembro a 17 de janeiro
A deusa reverenciada nessa época é Ilamatecuhtli ("a senhora da saia velha") e era uma divindade associada à terra e ao milho. Como era época de frio, os astecas homenageavam o "recolhimento" da natureza. Após o sacrifício de uma mulher que se passava pela deusa, mulheres e crianças eram assustadas por homens fantasiados nas ruas para que chorassem muito para atrair a chuva.

IZCALLI
Ressurreição
18 de janeiro a 6 de fevereiro
Estátuas feitas de forma mais realista possível do deus Huehueteotl, o deus do fogo, eram forjadas em sua homenagem. Durante os festejos, animais caçados eram atirados ao fogo enquanto tamales preparados em altas brasas eram comidos ainda em chamas pelos aldeões astecas. A sorte para o ano também poderia ser consultada.

NEMONTEMI
Os Cinco Dias Vazios
7 a 11 de fevereiro
Nesse período curto os astecas não realizavam festa nenhuma, por serem considerados os cinco dias nefastos, e se recolhiam, renunciando brigas, pois quem se corrigisse nesse período adquiriria o hábito por toda a vida.

O HORÓSCOPO ASTECA E SEUS SIGNOS
Os astecas possuíam um profundo conhecimento em astrologia, o que despertou a curiosidade de diversos frades em saber como os astecas realizavam suas previsões e como os signos astrais ditavam a vida em sociedade.

As predições de diversos frades, em especial as de Diego Durán, na obra "Historia de las Indias de la Nueva España e islãs de la tierra firme", e consultadas na obra de A. S. Franchini "As Melhores

O ZODÍACO

Calendário moderno com ilustrações astecas

Histórias das Mitologias Asteca, Maia e Inca", procuram deixar os ensinamentos astecas o mais próximos da astrologia que é lida e apreciada hoje.

Os signos do zodíaco asteca foram feitos com base no calendário divinatório. Cada signo é responsável pelo período de um mês, o que no calendário equivale a 13 dias, para assim completar os 260 dias. Confira todos os signos astecas e as predições segundo o antigo povo.

CIPACTLI (JACARÉ)

O signo do jacaré abençoava todos os que nasciam sob seus cuidados com muito ânimo e vontade. As pessoas que eram do signo de jacaré também possuíam destemida habilidade para algumas profissões, como agricultor, negociante e guerreiro, e eram muito trabalhadores.

Sua cor era o amarelo, e os órgãos associados ao jacaré são o fígado e o estômago. Simbolicamente o jacaré representa a terra, e era associado à boa sorte, com pessoas de caráter firme e zelosas de suas posses.

EHECATL (VENTO)

O segundo signo da astrologia asteca era associado ao mal. As pessoas associadas ao signo do vento seriam, assim como o elemento natural, andarilhos que permaneciam sempre em movimento, e graças a isso seriam inconstantes, negligentes e preguiçosos. Também eram consideradas intelectuais e eloquentes.

As pessoas desse signo também seriam "inimigas" do trabalho, e prezavam muito comer, beber, e viver à custa dos outros. Sua cor, graças ao mal que trazia, era o preto.

CALLI (CASA)

As pessoas nascidas sob este signo são contra qualquer tipo de peregrinação, são caseiras, gostam da rotina, são calmas e recolhidas. O signo é relacionado também a pessoas que se doam, e servem aos pais e à família.

O deus Tepeyollotl (coração da montanha) era o regente do signo de casa, e graças a isso e à sua cor ser o vermelho, os espanhóis acreditavam que os médicos e parteiras eram devotos deste signo. Contudo, os astecas diziam que quem nascia sob este signo podia ser inclinado ao jogo e às apostas, e pela mesma paixão que doava, podia perder todos os seus bens.

CUETZPALLIN (LAGARTIXA)

Signo de grande fortuna, os que nasceram sob a proteção da lagartixa seriam muito abençoados, sempre tendo a mesa farta e prevalecendo sobre os outros irmãos e parentes da família, não importando se mais velhos ou mais novos.

Sua cor era o azul e as pessoas deste signo teriam grande aptidão para dança e também grandes habilidades sexuais.

COATL (SERPENTE)

Quem nascia sob o signo da serpente, mesmo esta sendo o animal primordial e simbólico de toda a Mesoamérica, estaria fadado a um futuro negro, de sofrimento e privação.

Seriam pobres, mendigos esfarrapados e sem moradia, vivendo sempre de favor e tendo de servir os outros por um prato de comida.

MIQUIZTLI (MORTE)

Esse signo era um dos mais desafortunados, melancólicos e temidos de todos. Assim como uma maldição, todos os que nasciam sob este signo eram covardes, medrosos, assombrados, além de serem doentes de coração e desnutridos.

Preto é a cor da Morte. O desapego é sua maior virtude, para quem está suscetível a abandonar a vida subitamente.

MAZATL (VEADO)

Os que nasciam sob o signo do veado possuíam uma tendência a viver isolados nas montanhas, como ermitões, além de terem aptidão natural para a caça e para profissões como lenhador. Adoravam perambular por terras estrangeiras e facilmente se desapegavam dos pais.

Ligados ao Sol, recebem influência da natureza, tendem a ser livres e aventureiros. Sua cor é o vermelho e o signo é regido por Tlaloc, o deus da chuva.

TOCHTLI (COELHO)

O único relato sobre este signo é que as pessoas teriam os mesmos fardos e as mesmas sortes que o signo anterior, pelos dois animais serem herbívoros e compartilharem do mesmo habitat.

"O coelho é muito dado à imaginação e ao onirismo. Por estar associado ao pulque, diz-se que todos os nascidos sob este signo estão condenados a serem, por toda a vida, beberrões contumazes – um destino funesto, já que na sociedade asteca a embriaguez era severamente punida", conta A. S. Franchini em sua obra *As melhores histórias das mitologias asteca, maia e inca.*

ATL (ÁGUA)

Os homens e mulheres que nasciam sob a égide deste signo estavam sujeitos a possuírem, para toda sua existência, uma péssima saúde e, por consequência, viverem sempre em tormento existencial. Sua maior qualidade era a perseverança, para lutar contra doenças incuráveis que, em quase todos os casos, levavam a pessoa à morte antes de alcançar a velhice.

ITZCUINTLI (CACHORRO)

Os abençoados pelo signo do cachorro poderiam comemorar. Eram tidos como pessoas sinceras, pródigas e valorosas e sua maior qualidade era a fidelidade. Possuíam exímia aptidão para atender pedidos de todas as naturezas.

"Na verdade, os únicos azarados neste signo eram os próprios cães: além de serem um dos pratos prediletos da culinária asteca, eram também mortos por ocasião do falecimento dos seus donos, a fim de irem auxiliá-los na sua trabalhosa descida ao inframundo", conta A. S. Franchini em sua obra *As melhores histórias das mitologias asteca, maia e inca.*

OZOMATLI (MACACO)

A virtude maior das pessoas regidas pelo macaco é a alegria. Os homens deste signo são brincalhões, amigos e muito benquistos em qualquer lugar que fossem. Se fosse uma mulher, era também risonha e muito persuasiva. Contudo, ser honesta e casta não eram duas qualidades esperadas das mulheres de macaco.

MALINALLI (ERVA)

Um dos signos astecas que, assim como a água remetia a enfermidades, a erva era associada a pessoas que possuíam sempre uma nova enfermidade, uma seguida da outra, e que nunca se curavam mas sim davam lugar a novas doenças.

O próprio frade Bernardino de Sahagún dizia que esse signo era traiçoeiro, sempre alternando entre períodos de bem-estar e novas desgraças.

ACATL (JUNCO)

O junco era uma árvore, conhecida também como Cana, que os astecas tinham como uma planta vazia e oca, e quem nascia sob esse signo era visto da mesma forma. Eram pessoas indiferentes, vazias e sem coração, que não possuíam nenhuma habilidade, além de serem desajuizados.

Os homens que viviam sob este signo eram conhecidos por serem vagabundos, glutões e estarem imersos em uma pobreza desvairada, que jamais haveria de mudar.

OCELOTL (JAGUAR)

Os nascidos sob este signo não eram tão bem vistos assim. Eram conhecidos por serem ousados, atrevidos, soberbos e principalmente pela sua ambição de alcançarem postos de poder por meio da força e da tirania.

"Sendo um Macehualle (homem do campo), jamais fugirá ao trabalho, bem como, sendo soldado, jamais haverá de esquivar-se ao combate, lançando-se a ele de ânimo altivo", conta A. S. Franchini em sua obra *As melhores histórias das mitologias asteca, maia e inca.*

CUAUHTLI (ÁGUIA)

A águia é um animal de rapina, com boa visão e muito furtiva. As pessoas deste signo seguiam os mesmos passos do animal e possuíam o hábito de furtar. Avarentos por natureza, escondiam todas as suas posses tanto quanto podiam.

COZCACUAUHTLI (URUBU)

Condenados a se tornarem carecas, os nascidos sob este signo seriam abençoados com boa sorte. Seriam sempre fortes, altos, saudáveis, e homens com autoridade e sabedoria.

OLLIN (MOVIMENTO)

Esse signo é a própria personificação do movimento solar e, tal qual os homens nascidos nele, resplandeceriam como o astro rei, afortunados e destinados a serem reis. As mulheres também seriam poderosas e prósperas, apesar de levarem consigo uma lista de péssimas qualidades como tontas, bobas, lunáticas e desajuizadas.

TECPATL (PEDERNAL)

Eram tidos como seres maléficos e que, assim como a pedra que dava nome ao signo, eram a causa da esterilidade de homens e mulheres e uma total desgraça aos seres humanos.

QUIAHUITL (CHUVA)

Quem estivesse sob a influência deste signo sofreria com as piores calamidades que poderiam ser trazidas aos humanos. Eram destinados a serem, para sempre, pessoas isoladas e loucas, que vivenciariam uma série de numerosas desgraças.

XOCHTLI (FLOR)

O último signo asteca era predestinado a ter sob seu alento os artistas, pintores, escultores e outros ligados a ofícios da mesma natureza. Astecas sob esse signo eram considerados limpos e curiosos e viviam do seu talento manual.

11

ARTES E ARQUITETURA

MESTRES NA MÚSICA, POESIA E NA ARQUITETURA, OS ASTECAS FORJARAM UMA DAS MAIS RICAS CULTURAS DO MUNDO E QUE PERDURA ATÉ HOJE

A cultura asteca é uma das mais ricas de toda a Mesoamérica e, até os dias de hoje, deixa traços no México, país em que se encontra o antigo território desta civilização. Habilidosos e proeminentes em todos os tipos de arte na época, os astecas forjaram um império que possuía nas artes e na religião a base de sua cultura.

Artesãos eram exímios projetistas e escultores de móveis, estátuas, templos, enquanto pintores, ourives e outros profissionais os auxiliavam com suas artes. Músicos tinham um local de respeito na sociedade assim como os escribas e a literatura, cheia de prosa e poesia.

Danças eram feitas em homenagens aos deuses e festivais davam lugar às tradições que se mantinham no império. Confira um pouco de cada traço da cultura do maior império da Mesoamérica.

OS ARTESÃOS

Os artesãos astecas tinham um grande papel dentro do centro cultural e do mundo artístico do império. Responsáveis por uma gama muito grande de peças, os artesãos trabalhavam com os mais diversos tipos de materiais, sem que conhecessem ferramentas de ferro ou bronze. Ferramentas de ossos, madeira e pedras eram usadas para criar utensílios para o dia a dia, além de esculturas de pedras.

Muitas das obras de arte astecas que sobreviveram à invasão europeia estão dispostas no Museu Nacional de Antropologia da Cidade do México, embora uma boa parte da produção asteca não tenha chegado ao século XXI.

Contudo, os artesãos criaram formas de arte e expressão não somente com pedras, mas também com jade e quartzo. A cerâmica era muito apreciada pelos astecas e envolvia um delicado trabalho manual, que, no fim, produzia peças de arte que possuíam utilidade prática no dia a dia asteca.

AS PINTURAS

Pinturas e desenhos também faziam parte da arte asteca. A maioria dos desenhos era empregado na arte religiosa, sendo colocada à disposição de sacerdotes, com o objetivo de enaltecer as divindades.

Os desenhos feitos, de forma geral, não eram realistas, mas sim representações desses seres divinos que por sua vez simbolizavam os elementos ou tinham significados abstratos, como a morte ou a vida, por exemplo.

Essa mistura com óleo deixava as tintas mais espessas, o que as tornava mais práticas e com uma tonalidade mais forte. Entre as cores mais encontradas na arte asteca, estão o laranja, o amarelo, o vermelho, o verde e o azul.

AS MÁSCARAS

Outro tipo de arte muito apreciado e que tomava um bom tempo dos artesãos, era a confecção de máscaras. As máscaras faziam parte de uma arte voltada para a guerra e para o militarismo, apesar de serem utilizadas também em cerimônias religiosas.

A produção de máscaras era um ofício especializado e havia grande demanda, já que eram usadas em rituais religiosos ou por guerreiros, para assustar os inimigos.

Muitas destas máscaras, no caso dos grandes guerreiros e da nobreza, eram revestidas com penas e adornos, o que caracterizaria um grande cocar. Os cocares eram feitos com a ajuda de outro tipo de artistas, os plumaceiros.

Os amantecatl (plumaceiros, na língua asteca) colhiam penas por todo o reino e de diversos tipos de pássaros e cores, para que os cocares dos guerreiros e nobres se transformassem em verdadeiras obras de arte.

O BESTIÁRIO

A escultura era uma das artes mais apreciadas em todo o império asteca. Contudo, a escultura não era utilizada exclusivamente para a produção de adornos para templos e estátuas de divindades, mas podia ser usada também como um catálogo em tamanho real.

O bestiário asteca foi o que os estudiosos denominaram um conjunto de estátuas e figuras de pedra dos mais diversos animais já vistos na América Central. As obras foram produzidas pelos astecas e contêm as representações de jaguares, coiotes, cachorros, águias, perus, cobras, patos, entre outros animais.

A MÚSICA

Os astecas eram exímios musicistas e levavam o ensino e a produção de música em seus corações como uma das profissões mais sérias a serem seguidas. Isso porque a música e a dança não eram somente uma forma de diversão, mas também parte de toda a vida dos astecas e dos festivais religiosos, incluindo sacrifícios humanos.

A música também era usada para transmitir a história da cultura asteca, sendo uma parte inseparável da vida dos astecas, estando lá nos momentos mais tênues de suas vidas. Era tão apreciada, que entre os empregados dos nobres mais proeminentes, era encontrado um compositor.

Esse compositor era responsável por, além de escrever canções e elaborar danças específicas para os rituais religiosos e festividades, compor músicas exclusivas para o triunfo asteca na guerra, um casamento nobre ou mesmo a ascensão de um novo governante.

OS MÚSICOS

Desde pequenos, os astecas aprendiam a arte da composição, interpretação, bem como as habilidades manuais para a execução das músicas e dos instrumentos. Dentro de todas as escolas mais humildes, para as pessoas comuns, existia a Cuicalli, que significava "Casa da Música" no idioma asteca.

A Cuicalli era o jeito que os plebeus encontraram para ter acesso à música. Lá, os futuros trabalhadores aprendiam como cantar e interpretar canções de amor e de guerra, bem como as danças profanas a cada tema.

Havia grande desejo entre as pessoas de se tornarem musicistas, pois os músicos eram vistos com muito respeito e como aspirantes a mestres nas artes, assim como os toltecas de Tollán, que eram muito respeitados pelos astecas por serem mestres de todos os ofícios e artes, além de reconhecidos por composições e músicas divinas.

A dança e a música eram executadas em contextos profanos e religiosos, para diversos fins, desde recreação a cerimônias do batismo ou de casamento até a veneração de deuses.

A LITERATURA E OS ESCRIBAS

A literatura asteca foi uma das mais ricas da Mesoamérica e, apesar de não haver muitos registros dos livros produzidos durante a época do império, graças à perseguição espanhola e à queima de quase todo o conteúdo literário dos astecas, sabe-se que os escribas astecas eram muito habilidosos.

Os manuscritos astecas eram os mais diversos. Iam desde os calendários sagrados e rituais até livros sobre medicina, astronomia, mapas, genealogias, crônicas, anuários, leis e listas de tributos.

Todos eram escritos com os hieróglifos astecas, uma linguagem baseada em ideogramas e figuras que representavam ideias, nomes, números e significados. Era lida na língua asteca náhua, mas outros povos podiam entendê-la, pois era uma derivação do sistema desenvolvido pelos olmecas e zapotecas alguns séculos atrás.

A POESIA E OS POETAS

A poesia asteca era uma forma de arte que aproximava tanto a literatura quanto a música, uma vez que os recitais poéticos eram acompanhados pelas orquestras privativas dos nobres e governantes.

Concentrados nas classes mais altas, os poetas eram figuras públicas que se apresentavam para os nobres e a elite das mais importantes cidades astecas. Esses governantes, nobres e príncipes, por sua vez, compartilhavam com os poetas as metáforas e a linguagem filosófica contidas nas reflexões de amor e vida das poesias, já que em alguns casos eles próprios eram poetas.

OS DEBATES PÚBLICOS

Outros tipos de poetas que eram tidos no império asteca como uma outra espécie de figuras literárias eram os tlamatinime, que significa na língua asteca "os que sabem", que produziam literatura em forma de prosa.

Contudo, a literatura dos tlamatinime se chamava huehuehtlahtolli, que significa algo como "declarações do conhecimento antigo" e era totalmente diferente da literatura escrita nos livros e registros astecas.

A huehuehtlahtolli era uma prosa que continha questões filosóficas sobre os deveres dos astecas, suas honras, suas mortes e, acima disso, acrescentava que o sabor da vida mesmo sendo amargo poderia ser adocicado se a pessoa tivesse muito riso, força física, valentia e prazer sensorial.

OS GÊNEROS POÉTICOS

Assim como na poesia moderna, os astecas possuíam diversos estilos de escrita que variavam de acordo com a região do império, com o poeta e com sua corrente filosófica. Contudo, eram apenas quatro os estilos mais utilizados pela maioria dos grupos de poetas astecas.

O Xochicuicatl, que significa "Canções Flor" na língua asteca, era um estilo de escrita poética asteca aplicado por um grupo de poetas que concentravam seus pensamentos nos prazeres e nas belezas da natureza e em como estes poderiam consolar os corações daqueles que sofriam.

Já os Yaocuicatl, que significa "Canções de Guerra" na língua asteca, era outro grupo de poetas que possuíam seu estilo voltado a uma interpretação de alegria extrema que momentos extremos como uma guerra e outros conflitos, por exemplo, poderiam proporcionar à mente e ao coração durante a batalha.

A nova vida dos campos e o despertar dos espíritos que regiam colheita, bem como o nascimento dos brotos de milho após o inverno, eram acontecimentos honrados e comemorados pelo grupo de poetas Xapancuicatl, que significava "Canções da Primavera" na língua asteca, e viam na chegada da estação a expressão de maior alegria e paixão da vida.

O último estilo de poesia, que era comumente usado em grande parte do império, era o Icnocuicatl, que significa "Canções Órfãs" na língua asteca, e descrevem os prazeres da vida na ótica de um momento passageiro, de algo efêmero e que eventualmente assim como a vida, chega ao fim.

Charles Phillips, na obra *O mundo asteca e maia*, revela um pequeno trecho de uma poesia asteca que sobreviveu aos tempos de tormenta espanhola e que, apesar do autor desconhecido, transmite os pensamentos e estilos dessa última vertente poética.

"A hora de ir embora, de dia ou de noite, a todos nos chegará.

É o grande mistério da morte.

Aqui na Terra não o podemos conhecer, mas logo, no outro lado iremos nos ver."

A LINGUAGEM DOS POETAS

A linguagem dos poetas era rica e fluida. Seu propósito principal era a reflexão, o que a tornava mais complicada que a linguagem coloquial usada pelo império, mas preenchia os objetivos dos poetas ao trazer outro tipo de entendimento dos versos, pelas metáforas.

Expressões como "canção e o florescer das flores", "espaço florescente" ou "casa das flores", entre outras, eram utilizadas em abundância pelas poesias. "Lugar da águia e do cacto" fazia alusão a Tenochtitlán pela visão mitológica da lenda da fundação da cidade.

"Conhecer a sua cara" era outra expressão utilizada como metáfora, uma vez que na filosofia asteca a cabeça era considerada um dos pontos de cura e o local onde residiria o "ser".

A ARQUITETURA

Não existem nos dias de hoje, com a exceção de descrições de antigos conquistadores e manuscritos do século XVI, qualquer vestígio da habilidade e elegância asteca para com as suas construções e a arquitetura.

"Todos os monumentos do México foram destruídos em 1521, quando a cidade foi sitiada. Não os conhecemos senão através de descrições e desenhos de época, que vieram a corroborar as escavações arqueológicas do Grande Templo", conta Jacques Soustelle na obra *A civilização asteca*.

Contudo, mesmo não deixando tantos exemplares de construções, templos e outros prédios quanto os maias, os astecas possuíam certa abundância em modelos de construção.

As casas dos camponeses eram feitas de materiais simples, enquanto a dos nobres era feita de materiais mais resistentes, como pedras, por exemplo. Possuíam templos e pirâmides dedicados a suas divindades, bem como ricos palácios dedicados ao imperador.

AS CONSTRUÇÕES

As construções astecas eram formadas de acordo com sua finalidade. As casas mais simples variavam desde pequenas palhoças de um cômodo só até grandes mansões dedicadas aos membros mais ricos da sociedade.

As casas serviam apenas para moradia, sendo que quem passava a maior parte do tempo nelas eram as mulheres, enquanto os homens praticamente só retornavam para jantar e dormir. Os templos e pirâmides eram prédios em que a entrada só era permitida aos nobres ou sacerdotes, e não eram abertos ao público.

Existiam dois tipos principais de construções astecas. As religiosas eram representadas pelos templos e pelas pirâmides, enquanto as militares eram feitas especialmente para proteção, e eram tão abundantes quanto às religiosas ao longo de todo o império.

O SIGNIFICADO SAGRADO DAS CONSTRUÇÕES

Os templos e outras construções religiosas possuíam um significado muito importante para todos na sociedade asteca. Elas eram alinhadas com as estrelas e permaneciam geralmente no centro das cidades.

Os astecas construíram o Templo Maior durante muitos anos, 1325, agregando melhorias em 1502. O Templo Maior era não somente como uma das mais resplandecentes e elegantes criações de todos os tempos da América Central, mas uma representação da montanha sagrada de Coatépetl, local mitológico em que nasceu o deus Huitzilopochtli.

Pela necessidade, muitas vezes os templos precisavam de reformas e expansões, fazendo com que os trabalhos continuassem a todo vapor dentro da sociedade asteca.

A ELEGÂNCIA DA ARQUITETURA ASTECA

Os astecas proporcionavam a seus governantes e aos membros mais altos da sociedade um tratamento diferenciado, que chegou a ser considerado um modelo de elegância própria daquele povo.

Os governantes astecas viviam em palácios grandiosos, em formato retangular rodeando um pátio aberto. Essa configuração era similar à das habitações dos nobres e povos da classes médias.

Era comum um segundo andar, mas somente no palácio do imperador, ou se os nobres e governantes fossem próximos ao soberano. Os palácios possuíam alojamentos para os governantes e suas esposas, aposentos administrativos, armazéns e quartos para concubinas, guardas e serventes.

Alguns palácios podiam cobrir uma área de mais de 80 hectares, o que equivale a 200 acres de terra.

A PRIVACIDADE

O palácio asteca possuía diversas dependências públicas. Elas podiam ser acessadas até mesmo por plebeus como no caso dos armazéns e das cortes, o que fazia da privacidade um problema.

Para solucionar essa questão, os astecas construíram um andar superior no palácio, que era de acesso exclusivo do tlatoani e de seu seleto grupo de nobres. Neste andar privativo, existiam os aposentos do imperador, bem como jardins suspensos e pátios externos isolados.

Nele, o governante realizava reuniões secretas e comia sozinho, uma vez que sua aura de ser semidivino deveria ser protegida e respeitada.

OS MATERIAIS

Os astecas trabalhavam com o que tinham em mãos. As casas eram construídas com paredes de madeira e teto de palha, ao contrário das grandes mansões que eram feitas com pedras e telhados lisos de pedra também. Essas construções mais suntuosas podiam até mesmo conter jardins de ervas nesse telhado liso de pedra.

As paredes de madeira eram construídas com tábuas e seus entremeios eram cobertos com adobe e secados ao sol. Até as casas mais básicas possuíam sólidas bases, principalmente no terreno instável do solo pantanoso de Tenochtitlán, em que pedras de grande porte eram empilhadas como uma plataforma que, elevada, sustentava as casas.

O PALÁCIO DE MOCTEZUMA

Moctezuma foi um dos governantes mais conhecidos de todos os tempos e talvez o mais conhecido de toda a história da Mesoamérica. Não por menos, o governante possuía um palácio à altura de sua glória e fama.

Não existem desenhos nem nenhuma representação visual das instalações de Moctezuma. Contudo, as descrições feitas pelo frei Bernardino de Sahagún durante e após o processo da conquista espanhola na América Central garantem um vislumbre da magnificência daquela grande construção.

O palácio do Tlatoani era rodeado de extensos jardins e possuía um complexo inteiro de pátios, mais de dez piscinas, um aviário e um zoológico, bem como instalações administrativas, e outras dezenas de cômodos que comportavam outras tantas funções em meio à vida real.

O complexo administrativo dentro do palácio real servia para três níveis sociais. O primeiro era para os nobres e seu julgamento por juízes especializados. No segundo nível, a junta militar e os membros mais importantes do exército ministravam sua própria justiça em salas especiais chamadas de tecpilcalli.

No terceiro e último nível, os plebeus adentravam em uma câmara chamada teccalco, na qual o próprio tlatoani ouvia as reclamações e os casos mais difíceis, e dava o veredito final sobre a situação.

Não por menos, os 40 mil metros quadrados do imperador serviam de edifício administrativo e casa real. Possuía salas para o conselho militar, uma sala do trono, áreas destinadas a políticos, imperadores e embaixadores de outros reinos e civilizações, bem como apartamentos usados por juízes como tribunais e grandes áreas para armazenar os tributos do império.

Havia bibliotecas, salas de música e espaços para o ofício dos artesãos em benefício do imperador, além de alojamentos para os governantes de Texcoco e Tlacopán, e quartos de hóspedes para visitantes suntuosos do império.

A HIGIENE NO PALÁCIO

A higiene no palácio era levada a sério. Havia mais de cem banheiros espalhados por todo o complexo imperial, nos quais o imperador se banhava e trocava de roupas inúmeras vezes. O tlatoani não utilizava mais de uma vez a mesma roupa, sendo necessário um volume absurdo de tecido para compor o guarda-roupa real.

Mais de 300 convidados eram chamados todas as noites para a realização de uma refeição de primeira qualidade na sala de jantar real. Havia uma boa porção do palácio destinada apenas ao estoque de mantimentos e às cozinhas do imperador.

Seus convidados eram proibidos de olhá-lo no jantar, e para evitar que isso acontecesse, o imperador se sentava com todos à mesa, mas comia isolado, protegido por um anteparo de ouro puro.

Interior do Museu Nacional de Antropologia da Cidade do México

12

CULTURA E RELIGIÃO

OS DEUSES E DEUSAS ASTECAS FORAM OS
MAIS VENERADOS E AS MAIS SANGUINÁRIAS
DIVINDADES DE TODA A MESOAMÉRICA

CULTURA E RELIGIÃO

A religião asteca era uma das bases da sociedade e de todo o império ameríndio, juntamente com a guerra e a agricultura, compondo assim os três campos de maior concentração dos astecas.

Seus deuses representavam os elementos que regiam tudo em suas voltas, desde as águas, até o Sol, os astros naturais e as coisas mais subjetivas, como a agricultura, a colheita e a morte, por exemplo.

A crença religiosa asteca incluía uma centena de deuses e deusas, além de rituais variados, herdados de culturas e épocas anteriores. Havia uma crença de que os deuses influenciavam as pessoas diretamente, do início ao fim da vida.

Com isso, tudo que era feito no império era por consequência direta de alguma divindade, ainda mais se esse acontecimento tivesse causa relacionada com o meio ambiente.

Por exemplo, se um raio atingisse alguém, se uma pessoa ficasse muito doente ou se afogasse, era a vontade dos deuses ou mesmo a fúria deles. Para acalmá-los eram feitos os sacrifícios humanos, que são a parte mais lembrada de toda a religião asteca. Para eles, essa era uma forma de conquistar favores dos deuses e fazer com que o povo prosperasse. Até templos foram construídos especificamente com essa finalidade.

Dentro da mitologia asteca e de sua religião, existiam quatro deuses que eram considerados alguns dos deuses primordiais, ao lado de tantos outros que possuíam ampla veneração por parte do povo. Eles eram Quetzalcoatl, Huitzilopochtli, Tezcatlipoca e Xipe Totec.

O DEUS TLALOC

Logo após a fundação da nova capital Tenochtitlán, os astecas adotaram quase ao mesmo tempo o culto a uma das divindades que seria um dos deuses favoritos da população, principalmente a agrária.

Tlaloc, que significa "O Néctar da Terra" na língua asteca, era o deus da chuva e, assim como o elemento que representava, era um dos deuses mais importantes de todo o panteão e um dos mais venerados pelos astecas, além de ser um dos mais antigos da Mesoamérica. Toltecas e olmecas, que eram civilizações mais antigas que os astecas, já o veneravam.

Conhecido também como o deus das "águas de cima", seu templo possuía local de destaque ao lado da pirâmide do deus Huitzilopochtli, o que na verdade, representa a engenhosidade asteca ao conseguir captar as simultâneas bênçãos do Sol e da chuva.

De acordo com as lendas astecas, Tlaloc armazenava a chuva em quatro grandes jarros, os quais continham chuvas benéficas como as garoas e chuvas de verão, e as chuvas maléficas, que vinham em tempestades e furacões e destruíam a agricultura.

Conta-se que Tlaloc possuía uma equipe de anões chamados Tlaloques, que viviam no topo dos montes, e tinham a função de juntar as nuvens para fazer chover. Cada anão tinha um jarro cheio de água e, ao receber a ordem de fazer chover, simplesmente quebrava o jarro. Os trovões nada mais eram do que os ruídos dos cântaros quebrando-se.

Para os astecas, o deus da chuva era representado com uma máscara, na qual estavam expostas as fileiras de presas, envoltas por uma espécie de bigode ou lábio leporino, enquanto seus olhos ameaçadores eram vislumbrados pela viseira da máscara.

Os fiéis se empenhavam muito em manter o humor do deus em ordem, pois assim teriam chuvas benéficas e a colheita seria produtiva. Com isso, os ritos eram todos expressos em sacrifícios humanos, especialmente o de crianças e o de jovens do sexo feminino.

As crianças deveriam preencher determinados requisitos, como estar em uma idade adequada e ter nascido em dias considerados propícios, e geralmente eram escolhidas aquelas que tinham sido compradas aos pais. Se a criança fosse chorando até o altar do sacrifício, isso significava boa sorte, pois assim como as lágrimas, a chuva não pararia de cair.

XIPE TOTEC

Xipe Totec, que significa "Deus Esfolado" na língua asteca, assim como alguns outros deuses, recebia destaque no panteão asteca justamente por ser um deus muito antigo e agrário, tido como o deus dos ourives, mas principalmente como deus da vegetação.

O "Deus Esfolado" recebe esse nome graças às suas representações e à lenda por trás de sua existência. Nas representações, ele está trajado com uma pele humana, extraída de um cadáver, justamente para representar a vegetação que ele como deus da primavera recobra após tê-la perdido no inverno.

Já com relação à lenda, para que os humanos tivessem o alimento primordial, o milho, Xipe Totec para alimentar os homens retira a sua pele (que representava no mito a casca do milho) para que os grãos fossem descobertos.

Contudo, o aspecto mais horripilante é que os astecas se sentiam na obrigação de fazer o mesmo em honra ao deus. Na festa da esfoladura dos homens, ou Tlacaxipehualiztli, como descrita no calendário aos deuses, era o período em que esse culto acontecia.

Neste festejo, os sacerdotes arrancavam a pele de um guerreiro e, após pintarem-na toda de amarelo, vestiam o "casaco humano" a fim de representar a segunda pele do deus Xipe Totec.

HUEHUETEOTL: O DEUS DO FOGO

Huehueteotl, que significa na língua asteca "O Deus Velhíssimo", era uma das mais proeminentes e antigas divindades de toda a Mesoamérica, por representar um dos elementos mais antigos do planeta, o fogo.

A divindade possuía templos espalhados por todo o império e como tal era representado nas casas astecas por um braseiro aceso. Esse braseiro, por sua vez, deveria estar sempre situado no centro das residências ou dos templos, já que o deus Huehueteotl estava situado no centro dos cinco pontos cardeais.

Inclusive sua morada é tida como o primeiro céu asteca, dentre os 13 que levam ao deus supremo e senhor da dualidade, Ometeotl. Era representado como um ser narigudo, de pele enrugada e de língua de fora, apesar de possuir um totem animal, que era a Serpente de Fogo (Xiuhcoatl).

XOCHIPILLI: O DEUS DAS FLORES

Esse deus era uma das divindades que encarnavam na alma de artistas e poetas. Xochipilli, que significa "Príncipe das Flores" na língua asteca, era o deus das flores, da poesia e da música.

Esse deus era particularmente adorado por todos os cuidadores de chinampas e outros jardins flutuantes em Tenochtitlán. O uso das flores era muito comum para os astecas, em todos os âmbitos da vida, em especial nos festivais dedicados aos deuses, o que fazia a divindade sempre presente.

Os festejos dedicados a este deus, na "Festa das Flores", era muito popular e regado a muita dança, música e manifestações artísticas, apesar de ainda assim haver determinados momentos de sacrifícios de animais ou mesmo a sangria das orelhas dos nobres, para que o sangue fosse derramado sobre as estátuas do deus.

Xochipilli era também o deus dos jogos. Dentre eles, havia o patolli, espécie de gamão que se popularizou entre os astecas.

A VISÃO DE MORTE DOS ASTECAS

Para os astecas, a morte não era um aspecto negativo da vida, muito pelo contrário. Guerreiros astecas eram ensinados que não havia glória maior que a morte em batalha, e para qualquer asteca, ser vítima de sacrifício era conseguir um local entre os deuses.

Morrer ao dar à luz, numa batalha ou em sacrifício humano, com certa serenidade, chegava a ser uma honra.

Com isso, a morte não era vista com temor e medo, mas sim como algo que fazia parte do ciclo natural da vida. Contudo, isso era uma característica peculiar e única do povo asteca, uma vez que os maias, por exemplo, bem como outros povos, tinham pavor profundo pela morte e suas infelicidades.

Vida e morte faziam parte da dualidade sagrada do universo, a mesma que se expressava em outras dicotomias, como dia e noite, frio e calor, luz e escuridão. Se a vida não era fácil, o sofrimento e a morte eram inevitáveis.

O PÓS-VIDA

Os astecas acreditavam que havia vida após a morte. Esse era um dos alentos e esperanças para quem fosse sacrificado ou para que o povo fosse ensinado desde pequeno a nunca temer a morte.

A qualidade da vida após a morte não dependia necessariamente de como os astecas tinham conduzido suas vidas, mas dependia de como a pessoa morreu.

As cinzas ou o corpo da pessoa permaneciam na Terra, contudo, sua alma começava a longa viagem pelos outros mundos. Essa viagem poderia ser mais curta dependendo da morte, como a de guerreiros e vítimas de sacrifício que iam diretamente ao encontro do deus da guerra e do sol Huitzilopochtli.

As almas desses guerreiros permaneciam no paraíso por cerca de quatro anos até que voltavam à Terra, sob a forma de beija-flores. As pessoas que morriam por afogamento, acertadas por trovões ou por doenças associadas à água eram enterradas e iam imediatamente para o paraíso do deus da chuva, o Tlalocan.

Os astecas acreditavam que as pessoas sofriam desse tipo de morte, pois ela era enviada especialmente àquela pessoa pelo deus, como uma espécie de escolhido para ascender aos céus e permanecer ao lado dele. Isso valia também para vítimas de sacrifício ao deus Tlaloc.

Crianças eram consideradas inocentes. Quando morria uma criança que estava sendo amamentada, seu espírito ia para o mais alto paraíso, na morada do deus e da deusa criadores, e se alimentava do leite das flores de uma árvore até elas retornarem à Terra como novos bebês.

OS SACRIFÍCIOS HUMANOS

Os sacrifícios humanos eram bem vistos pela sociedade asteca. O sangue humano era considerado sagrado a ele e também era tido como alimento favorito dos deuses astecas, motivando assim a retirada do coração pulsante das vítimas.

Contudo, os astecas, além dos motivos religiosos para que fossem realizados os sacrifícios humanos, implantados desde o século V d.C. pelos olmecas, tinham também motivos políticos.

Acredita-se que os astecas guerreavam a fim de capturar pessoas para os sacrifícios. A captura de vítimas era uma justificativa para fazer a guerra e expandir seu império.

AS VÍTIMAS

As vítimas de sacrifícios humanos na sociedade asteca geralmente eram prisioneiros de guerra e cativos, bem como escravos que após cometerem diversas infrações contra o império e seus donos eram colocados à mercê dos deuses.

No entanto, muitas das vítimas de sacrifícios humanos deveriam preencher alguns requisitos, fazendo com que muitas vezes os astecas tivessem que sacrificar seu próprio povo.

Alguns deuses exigiam mulheres jovens e belas, enquanto outros exigiam crianças em tenra idade. Contudo, na maioria dos casos, as pessoas sacrificadas não se sentiam como vítimas, mas sim abençoadas.

OS FUNERAIS

Os funerais astecas eram feitos dependendo da classe social da pessoa falecida. Entre os influentes nobres, governantes e pessoas com maior poder financeiro, os enterros costumavam ser mais elegantes e seus túmulos mais abundantes em oferendas e outros aspectos.

Escribas eram enterrados com seus instrumentos de trabalho. Já as pessoas comuns eram enterradas debaixo, ou próximas de suas casas e com o passar do tempo e o acúmulo de corpos, a casa era abandonada e usada apenas como mausoléu.

As pessoas comuns do Yucatán eram enterradas com algumas contas de jade na boca, o que serviria na sua viagem em direção ao mundo inferior.

OUTRAS DIVINDADES

Chalchiuhtlicue – Conhecida como "Deusa da Saia de Jade", era irmã ou esposa de Tlaloc e era representada como um ser azulado e amarelado, cheia de adereços e penas de quetzal. Geralmente, graças a seu esposo e a suas características, era tida como deusa dos mares, lagos e rios.

Ao mesmo tempo em que era uma deusa boa, também era temida pelas tempestades e naufrágios, causados por ela quando estava de cara má ou por ter sofrido alguma ofensa dos homens.

Chicomecoatl – Uma das deusas femininas mais importantes da mitologia asteca, era considerada a deusa da vegetação, mas acima disso, a deusa encarregada de toda a alimentação humana. Posteriormente, foi chamada pelos espanhóis de "diosa de los mantenimientos". Costumava se enfeitar com flores aquáticas e portar espigas de milho e escudo do Sol. Era tida como a deusa da fecundidade.

Cihuacoatl – Considerada uma das deusas mais sombrias do panteão asteca, apesar de ser uma deusa agrária, personificava a desgraça, a miséria e a guerra, quando lançava seus gemidos tétricos pela noite.

Era tida como a padroeira das mulheres que morriam no parto e que, após terem habitado a morada dos deuses e os céus, caiam em desgraça e se convertiam em criaturas da noite, e como vampiras, buscavam o sangue de crianças e bebês desprotegidos.

Coatlicue – Uma das deusas mais antigas de toda a América Central, Coatlicue simbolizava a própria mãe terra. Era comumente representada como uma velha mulher, padroeira das crianças recém-nascidas e associada com a governança e a agricultura. Muitas vezes podia ser confundida com uma versão feminina do deus primordial Ometeotl.

CULTURA E RELIGIÃO

A VENERAÇÃO AOS ANTEPASSADOS

Em Tenochtitlán eram realizados todos os anos incríveis festivais em homenagem aos mortos. O Tlaxochímaco, ou "O Nascimento das Flores", era um dos períodos em que os astecas festejavam por seus antepassados e pelas pessoas que haviam morrido no ano anterior.

Eram colhidas flores silvestres em homenagem a esses mortos e eram levadas ao templo de Huitzilopochtli como oferendas.

Estátua da deusa Chalchiuhtlicue *Estátua da deusa Coatlicue*

13
O DIVINO E O PROFANO

A COSMOGRAFIA ASTECA É UMA DAS MAIS COMPLEXAS DO MUNDO, COM 13 CÉUS E 9 INFRAMUNDOS

Existem dois tipos de cosmografias dentro da mitologia asteca. A primeira é a horizontal e é baseada em uma concepção mítica de que os pontos cardeais são regidos pelos deuses.

Há, contudo, inúmeras interpretações sobre como os astecas poderiam visualizar esses mundos, e como estabeleceram os pontos cardeais. O esquema asteca era representado por uma cruz em que havia norte, sul, leste, oeste e centro.

Não por menos, os espanhóis afirmavam, em uma vã tentativa de desqualificar as crenças astecas, que a cruz na verdade era um traço latente do cristianismo e que os astecas poderiam então ser evangelizados, uma vez que já haviam tido, em tempos anteriores à conquista, o contato com a religião espanhola. No entanto, a cruz asteca tem origem ameríndia original e mais complexa do que a cruz cristã.

OS PONTOS CARDEAIS

A representação asteca dos pontos cardeais é algo recorrente estritamente à iconografia asteca e é baseada em um dos conceitos mais básicos do misticismo ameríndio pré-colombiano, em se tratando de localização e direção para com um entendimento místico.

Dentro do calendário divinatório, o tonalpohualli, era estabelecido um ponto cardeal específico para cada data do mês, o que incluía o nascimento e o destino do próprio ser humano dentro dessas influências. Ao nascer, o homem ficava enquadrado em um deles, sofrendo sua influência desde o nascimento até a morte, ou pós-morte.

OS PARAÍSOS ASTECAS

A geografia horizontal também se estende para a visão asteca do paraíso. Os edens astecas se dividiam em domínios, ainda comandados cada qual por seu deus específico que determinava no momento da morte para onde a alma do morto seria encaminhada.

Na "geografia horizontal" havia os quatro paraísos, situados cada um em cada ponto cardeal. Considerada a região das trevas da morte, o norte não possuía paraíso.

TLALOCÁN

Era o paraíso situado no sul e era governado por Tlaloc, o deus da chuva. A "morada de Tlaloc", como os astecas chamavam esse éden, recebia apenas pessoas escolhidas pelo deus das chuvas, ou seja, aquelas que tinham morrido sob as águas.

As pessoas que morressem graças a afogamentos, bem como as atingidas por raios, os hidrópicos, os reumáticos e até mesmo os leprosos (doença associada a Tlaloc) tinham local garantido no paraíso.

Independente da vida terrena que tivesse levado, a pessoa que morresse sob a proteção e escolha do deus das chuvas Tlaloc gozaria eternamente do Tlalocán e de todos os seus prazeres, o que garantia aos astecas uma vida na qual não temiam a morte.

Tlalocán era um local de abundância, livre de sofrimento e protegido por Tlaloc e por sua esposa Chalchiuhtlicue, A Deusa da Saia de Jade.

TONATIUHCÁN

O paraíso asteca localizado no leste era considerado o mais glorioso de todos os quatro paraísos por ser regido por Tonatiuh, O Quinto Sol, além de ser a região na qual o astro rei nasce todas as manhãs.

Para que a entrada fosse aceita neste paraíso, o ingressante deveria ser um grande guerreiro que teria falecido no campo de batalha, obtendo o grau máximo de honra dentro da escala militar, social e religiosa asteca. Os guerreiros sacrificados também podiam entrar neste paraíso.

A VIAGEM DO SOL

Os astecas acreditavam que os cavaleiros-águias que habitavam o paraíso do leste escoltavam o Sol apenas até a metade do caminho. Na outra metade, quando adentrava o território oeste, era habitado por seres daquele paraíso.

As Cihuateteo, ou "Mulheres-Deusas", eram as entidades responsáveis pela segurança do astro rei enquanto ele galgava sua caminhada rumo ao inframundo, no qual adentrava quando se punha no horizonte.

CINCALCO

Este era o terceiro paraíso asteca e, localizado no oeste, era a casa de Quetzalcoatl. O éden também podia se chamar "Cincalli", ou "A Casa do Milho", pois de acordo com as lendas, o deus Quetzalcoatl teria descoberto o milho para alimentar os homens neste reino divino.

Somente às mulheres que haviam morrido durante o parto era permitida a entrada no paraíso do oeste, visto que o parto era como uma batalha na qual a morte era encarada como uma derrota, mas como uma morte em batalha era honrada com seu lugar nos paraísos.

Cihuateteo era o nome que essas mulheres recebiam e eram respeitadas e temidas pelos astecas. Isso porque de século em século (período de 52 anos astecas), essas mulheres se transformavam em monstros parecidos com as harpias, e voltavam à Terra para buscar seus filhos.

Posteriormente à conquista, os espanhóis deram um novo nome às harpias astecas, chamando-as de "lloronas" ou "choronas". Esses personagens ainda estão presentes no folclore mexicano.

TAMOANCHÁN

A esse paraíso é reservado o centro dos pontos cardeais, que serve como ponto de contato entre todos os mundos e todos os quadrantes que contêm todos os céus, todos os inframundos e todos os paraísos.

Aos especialistas é difícil afirmar em que ponto se localizava a Tamoanchán mística, uma vez que este também seria o local do qual os astecas eram provenientes, localizado além do mar, no Oriente.

Contudo, dentro de Tamoanchán estavam as duas principais árvores da mitologia asteca. Xochitlicacán, a árvore cósmica que se partira e separara todas as tribos que começaram junto com os astecas em sua peregrinação, e Chichihualcuauhco, que significa na língua asteca "Árvore Nutriz", e representa a árvore sagrada que amamentava os bebês que chegavam ao paraíso em tenra idade com leite divino.

Entre as maiores graças concedidas pelos guardiões deste paraíso asteca, estão a criação do homem, a criação do milho, bem como a da bebida sagrada utilizada em festas religiosas, o Pulque.

A GEOGRAFIA VERTICAL

A outra geografia mística que os astecas possuíam e conferiam a suas crenças a ideia de outros mundos, paraísos e locais mágicos, era a geografia vertical. Nela o universo não é dividido em direções, mas em 22 níveis que são alcançados de acordo com a viagem da alma da pessoa.

A Terra era vista pelos astecas, de acordo com suas lendas, como um disco chato e plano, cruzado pelos pontos cardeais e pela ponta das pirâmides que continham os níveis dos céus (pirâmide para baixo) e dos inframundos (pirâmide para cima).

OS TREZE CÉUS

Os céus astecas não eram como os paraísos já descritos, mas sim como níveis nos quais havia desde a morada dos deuses até o local no qual os deuses e até mesmo o Sol repousavam.

Os céus astecas tinham sua importância também de acordo com o nível. O mais importante era o 13º nível e, por consequência, o mais alto dos céus astecas, contra o primeiro nível que era o mais próximo do plano terrestre.

Não se tem uma descrição muito detalhada de muitos dos céus astecas em razão da falta de registros deixados pelo povo e também pela implacável busca espanhola pela destruição dos manuscritos.

O 13º céu asteca, o mais alto, era o Omeyocán ou "Região da Dualidade". Tinha esse nome por ser a morada do deus primordial Ometeotl, que se compunha de duas divindades, Ometecuhtli (masculino) e Omecihuatl (feminino), e era o criador de todos os demais deuses do panteão asteca.

Do 12º ao 9º céu não há registros precisos, apesar de que o primeiro, chamado de Teteocán ou "Morada dos Deuses", era o local no qual os deuses viviam e assumiam as mais diversas aparências.

O 8º céu (Iztlacoliuhqui) ou "Região onde se Chocam as Lâminas de Obsidiana" recebia esse nome pois os astecas acreditavam que era nesse lugar que as tempestades se formavam.

Já o 7º céu (Ilhuicatl Xoxouhqui) era onde o deus Huitzilopochtli habitava, enquanto o 6º céu (Yayauhco) era dominado por Tezcatlipoca e uma oposição ao sétimo céu, uma vez que um dominava o sol e o dia, e o outro a noite.

O 5º céu (Ilhuicatl Mamoloaco) é a região na qual transitam cometas e estrelas, enquanto o 4º céu (Ilhuictlal Huitztlán) era a morada da maior das estrelas, Vênus. O 3º céu (Ilhuicatl Tonatiuh) é habitado pelo Quinto Sol asteca.

Os dois últimos céus são os mais próximos do plano terrestre e, por isso, contêm elementos que podem ser vistos a olho nu. O 2º céu (Ilhuicatl Citlaco) é onde está a Via Láctea e todas as constelações, enquanto no 1º céu (Ilhuicatl Meztli) é o local onde estão a Lua e as nuvens.

O INFRAMUNDO

O inframundo asteca é um dos locais míticos mais citados na cultura, e a crença nele fazia parte constante da vida do povo asteca em seus mais amplos aspectos. Rituais eram feitos para acalmar os deuses, e a morte era praticamente uma rotina na vida das pessoas do Império.

Chamado de Mictlán, o inferno asteca era associado mais a um castelo, ou pirâmide cheia de níveis, os quais o condenado deveria atravessar bravamente se quisesse abraçar a escuridão do mundo das trevas asteca.

Governado pelo deus Mictlantecuhtli, que era o senhor da terra dos mortos e deus da morte para os astecas, o inframundo possuía nove andares, sendo sua existência uma forma espelhada dos céus astecas, ou seja, ambos possuíam nos números mais altos os níveis mais importantes, e ambos possuem o primeiro nível como o mais próximo do plano terrestre.

A viagem do morto ao inframundo era feita ao longo de quatro anos, com uma pedra de jade entre os dentes, até que ele repousaria e desapareceria completamente.

OS NOVE NÍVEIS

O inframundo possuía seus nove níveis e cada qual possuía suas provações a fim de tornar a existência das almas condenadas o mais difícil possível. Confira com detalhes as provações e o que estava esperando os condenados nos nove níveis do inferno asteca.

1º NÍVEL

A jornada do condenado começa neste nível, que se chama na língua asteca Apanohuaia (Onde passa o Rio). Nesse local, o morto deveria, com a ajuda de um cão, atravessar o rio Chicunauhapán. Foi para esse propósito que surgiu o costume asteca de sacrificar os cães, para que acompanhassem os donos e fossem seus guias.

2º NÍVEL

O "Lugar onde as Montanhas de Chocam", que era chamado na língua asteca de Tepectli Monanamictlán, era o segundo estágio da jornada do condenado. Nesse nível do inframundo, o morto deveria enfrentar outra provação.

Deveria passar por duas montanhas flutuantes que estavam em constante choque umas com as outras, agindo como uma espécie de portão-armadilha, o qual o morto teria de atravessar para finalmente ingressar no Mictlán, o mundo dos mortos astecas.

3º NÍVEL

Após finalmente adentrar no mundo dos mortos da mitologia asteca, o Mictlán, o condenado deveria, como provação desse nível que era chamado de "Montanha das Navalhas", ou Iztepetl, na língua asteca, escalar uma montanha coberta por navalhas de obsidiana.

O curioso é que Mictlán é um mundo invertido. Para chegar ao subterrâneo, era preciso subir, e não descer.

4º NÍVEL

O nome "Lugar do Vento de Obsidiana" nunca foi tão literal quanto nesse nível do inframundo. A metáfora ganhava vida e, após chegar ao topo da montanha das navalhas, o morto se deparava com um vento glacial que o cortaria em mil pedaços se não estivesse atento. Era preciso se desviar delas para ingressar no inframundo seguinte.

5º NÍVEL

Um dos mais confusos níveis do outro mundo asteca era o Paniecatlacayán, que significa na língua asteca "Lugar onde os Corpos Flutuam como as Bandeiras", em que os corpos dos mortos flutuavam como estandartes pelos ares do Mictlán.

6º NÍVEL

Após passar pelo nível anterior, no qual os corpos flutuam como bandeiras, o morto deveria ir até o Temiminaloyán, que significa na língua asteca "Lugar do Flechamento".

Nesse nível são encontradas todas as flechas disparadas e perdidas nas batalhas terrenas, que são reutilizadas contra os condenados por um misterioso arqueiro. A tarefa do morto, para que consiga chegar ao próximo nível, é escapar de todas as flechas.

7º NÍVEL

Nesse nível, chamado de Teocoyolcualoya ou "Onde as Feras Devoram os Corações", na linguagem asteca, uma fera selvagem que poderia ser tanto um jaguar, quanto um coiote, ou crocodilo, caça ferozmente o morto na tentativa de comer seu coração.

Foi para esse nível do inframundo que o morto era velado com um pedaço de jade entre os dentes, para que pudesse ofertar à pedra preciosa a fera selvagem no lugar do próprio coração.

8º NÍVEL

O penúltimo nível do inferno poderia ser tão assustador quanto o último. Nesse nível, conhecido como Yzmictlán Apochcaloca ou "Onde se Perde a Visão no Caminho da Névoa", o morto perde toda a razão de existência e, exausto e despido de toda a matéria, é imerso em um sono profundo dentro da escuridão, sem temer ou desejar coisa alguma.

9º NÍVEL

O Chicnauhmictlán, que significa na linguagem asteca "O Nono Lugar do Inframundo", é o mais assustador e o último nível dentro do inferno asteca. Nele estão as duas divindades responsáveis pelo tormento dos condenados, Mictlantecuhtli e sua esposa Mictlancihuatl.

De acordo com as descrições feitas pelos documentos astecas sobreviventes, o casal era macabro e o único obstáculo invencível dentro das provações do Mictlán. Agiam como uma espécie de divindades opostas ao casal divino e criador do 13º céu. Possuem corpos pútridos e sem carne nos quais diversas aranhas sobem e descem, e cabelos brancos cheios de morcegos.

Moeda mexicana com o disco da morte asteca em um de seus lados

14
O DOMÍNIO ESPANHOL

OS ASTECAS NÃO TINHAM IDEIA DO QUÃO PODEROSOS ERAM OS ESPANHÓIS QUANDO ESTES ATRACARAM SEUS BARCOS NA COSTA DO GOLFO DO MÉXICO

Era uma sexta-feira, 21 de abril de 1519, quando mais ou menos 600 exploradores espanhóis vindos de Cuba desembarcaram em San Juan de Ulúa, próximo à costa do Golfo do México.

Lá, os espanhóis montados em seus cavalos, coisa inédita para os indígenas da América Central até então, tiveram os primeiros contatos com a tribo dos totonacos, pequeno grupo daquela região.

Os espiões astecas logo correram para a capital Tenochtitlán para avisar a Moctezuma II tudo que haviam presenciado.

A EXPEDIÇÃO DE CORTÉS

Por volta do ano de 1518, o governador de Cuba Diego Velásquez (1465 – 1522) aceitou as solicitações de Hernán Cortés e deu a ele os subsídios para que fosse em sua expedição rumo ao México.

Foram dados pelo governo espanhol três navios para serem usados na expedição, contudo, infeliz pelo pouco caso feito por Velásquez a suas buscas, Cortés levantou dinheiro por ele mesmo para ir ao México e, em 1519, o conquistador já contava com uma frota de 11 navios, 500 homens e muitas provisões.

Descumprindo ordens diretas de Cuba, Cortés partiu para o México e após a curta viagem de apenas 120 milhas até a Península de Yucatán, o conquistador ancorou na ilha de Cozumel.

Na época, a ilha era território maia. Cortés, então, ao ter o primeiro contato com os nativos, destruiu toda e qualquer civilização que houvesse ali, quebrando todas as estátuas dos deuses maias e colocando cruzes cristãs no lugar.

OS TRADUTORES

Cortés, ao ter contato com os primeiros nativos, não entendia absolutamente nada do que falavam. Para resolver o problema, a primeira medida foi achar alguém que pudesse ser seu tradutor, o que por incrível que pareça, o explorador espanhol conseguiu sem grandes dificuldades.

Hernán encontrou um nativo que sabia falar um pouco de espanhol. O indígena então guiou Cortés até um dos sobreviventes de outra expedição espanhola, Gerónimo de Aguilar (1489 – 1531).

Gerónimo sabia se comunicar na língua maia e foi o tradutor oficial dos espanhóis. Algum tempo depois, ao seguir com sua viagem, uma mulher nativa chamada Malintzin (1501 – 1550) se juntou à expedição de Cortés.

Tratava-se de Malintzin, uma mexicana que havia sido vendida como escrava para os maias, e era fluente em Maia e Nahuatl, o que possibilitou que ela fosse uma das tradutoras das conversas que Cortés teve com os astecas.

OS DOIS LADOS DA HISTÓRIA

A invasão espanhola aos domínios astecas e as incessantes batalhas entre os dois povos não passaram de uma combinação de imensos mal entendidos, unidos à busca implacável de Cortés pelo ouro mexicano. Contudo, os espanhóis e os astecas possuíam visões bem distintas sobre seus adversários.

Do ponto de vista asteca, os espanhóis foram invasores brutais que não respeitaram seus líderes, sua religião e principalmente seus costumes. Os astecas pensavam também que os espanhóis eram sujos, uma vez que o costume de se banhar era raro na Europa naquele período.

Já para os espanhóis, os brutos da história eram os astecas com seus sacrifícios humanos, seus massacres e festivais sangrentos e suas crenças em um falso deus, o que só aumentou a ambição espanhola, não só pelos tesouros astecas, mas pelo desejo de conversão daquele povo para o cristianismo.

Os astecas não conseguiam entender a ambição espanhola pelo ouro, prata e joias preciosas, enquanto que para os europeus aqueles metais eram tudo o que realmente importava dentro de toda aquela expedição.

Os astecas, em um primeiro momento, enviaram presentes aos espanhóis, o que incluía itens feitos de ouro e penas de Quetzal. Com isso, os astecas tinham a missão de impressionar os espanhóis, para que os invasores percebessem o quão poderosos eram os astecas e que não poderiam pensar em competir com o exército ameríndio, fazendo com que os espanhóis não tivessem opção se não a fuga.

Os espanhóis, no entanto, acharam que os presentes tinham a intenção de agradá-los e, ao avistarem ouro, decidiram ir adiante.

OS SACRIFÍCIOS AOS DEUSES

Quando Moctezuma II soube da chegada de estranhas entidades pelo mar, pensou que talvez pudesse se tratar de alguma nova tribo que se impunha na região. As possibilidades eram tantas que o imperador pensou que poderiam até mesmo ser os deuses que haviam retornado de Aztlán.

Assim, enviou mensageiros para saudá-los. Contudo, os espanhóis sem entender nada dos costumes ameríndios, desafiaram os mensageiros astecas para um duelo e até dispararam um dos canhões do navio em demonstração de força, o que fez os astecas ficarem impressionados.

Porém, era esperado um sinal de amizade vindo dos espanhóis, que ao invés disso, desafiaram os mensageiros astecas para duelos em duplas com espadas e armaduras pela manhã do dia seguinte. Os mensageiros, por não pertencerem a uma classe guerreira e nem serem da nobreza, não aceitaram.

Ao saber de todas essas informações, Moctezuma II então mandou guerreiros, profetas e feiticeiros e até mesmo prisioneiros capturados para abordar os espanhóis para saber quem eram realmente aquelas pessoas de pele clara, cabelos loiros e longas barbas.

Ao chegarem ao acampamento espanhol os astecas começaram a sacrificar os prisioneiros em homenagem aos recém-chegados, na tentativa de averiguar se eram deuses. Após os corações serem arrancados e ofertados aos europeus, eles se recusaram a comer a oferenda, o que comprovou aos astecas que não eram suas divindades vindas de além-mar.

FAZENDO ALIANÇAS

Cortés chegou ao México em um tempo oportuno para os europeus. Os astecas haviam expandido seu território de tal forma que se tornou impossível administrá-lo por igual, criando inimizades nas partes mais distantes do império.

A aliança entre os astecas e outras grandes tribos indígenas da região estava enfraquecida e as vilas e povoados estavam cansadas de pagar os pesados e altos tributos em mantimentos, guerreiros e subsídios para os astecas. Foi nessas circunstâncias que milhares de pessoas sob o controle asteca se juntaram a Cortés, ampliando o comboio de aliados.

Os espanhóis, caso os nativos não tivessem ressentimentos contra os astecas, persuadiam pelo medo também. Alguns dos soldados de Cortés entravam nas casas dos povos indígenas à noite e cortavam as mãos de todos os que pudessem empunhar uma arma.

A crueldade era tamanha, que muitos povos se aliaram aos espanhóis por saberem que seriam mais temíveis que os astecas. Cortés também não respeitava os rituais pré-batalha dos indígenas.

Enquanto as tribos se preparavam para rituais de purificação e fortalecimento antes das lutas, os espanhóis atacavam impiedosos, o que garantiu muitas vitórias aos europeus.

A CHEGADA EM TENOCHTITLÁN E AS TÁTICAS DE CONQUISTA

A chegada em Tenochtitlán foi tão estranha quanto a descrição feita nos registros históricos. Os espanhóis chegaram à capital asteca com uma legião de soldados ameríndios recrutados das diversas tribos abordadas, enquanto os astecas foram ao portão da cidade em massa presenciar os estranhos seres ali presentes.

Moctezuma II recebeu seus convidados no portão da cidade sendo carregado em uma grande liteira por alguns nobres escolhidos a dedo enquanto usava as mais finas roupas e joias vindas do tesouro imperial.

O imperador, assim, recebeu Cortés na cidade e o hospedou no palácio real. De acordo com as regras da etiqueta asteca, o imperador pediu para que os espanhóis tratassem a cidade como se fosse sua casa, o que Cortés em outro ato de mau entendimento, assumiu que o imperador estava se rendendo ao espanhol.

Após algum tempo hospedado no palácio, o conquistador fez jus ao histórico de mal entendidos e continuou a desonrar, segundo as crenças astecas, tudo o que fazia para com aquele povo.

Ameaçou o imperador, adentrou em salas proibidas e ateou fogo em tudo que não lhe interessava, e até propôs ao próprio Moctezuma II que derrubasse seus ídolos no Grande Templo em Tenochtitlán para que pusesse ali uma cruz cristã.

A gota d'água foi durante o festival em homenagem a Huitzilopochtli, no qual guerreiros astecas se preparavam para dançar e cantar para o deus. Um dos capitães espanhóis, então, ordenou que fossem mortos todos os astecas no festival.

O CONFRONTO COM OS ASTECAS E O FIM DO IMPÉRIO

Com Moctezuma II já prisioneiro, o capitão espanhol que massacrou a todos no festival, e que tinha sido deixado em comando até Cortés retornar de outra viagem, havia começado uma guerra contra os indígenas.

O novo tlatoani, o irmão de Moctezuma II Cuitlahuac, ordenou

O DOMÍNIO ESPANHOL

que os astecas atacassem com tudo que tinham, o que fez os espanhóis terem muitas baixas em seus números. A guerra também fez com que Moctezuma II fosse morto em combate.

Apesar da primeira derrota, os espanhóis buscaram mais reforços dentre as tribos locais que se sentiam otimistas com o poder espanhol e acreditavam que conseguiriam derrotar os astecas construindo novas armas com base na tecnologia europeia.

Em Tenochtitlán, após esta primeira vitória sobre os espanhóis, os astecas estavam aliviados e começaram a reconstrução de tudo que havia sido destruído no confronto, contudo, os espanhóis deixaram para trás algo que os astecas não poderiam combater.

A varíola era uma doença nova e misteriosa e que, apesar de muito comum na Europa naqueles tempos, só chegou ao novo mundo com os espanhóis. A doença se espalhou por dois meses inteiros começando em setembro de 1520, matando milhares de astecas e dizimando suas tropas.

Os astecas aguentaram os canhões e as tropas espanholas por mais de 80 dias em um novo cerco feito pelos europeus em Tenochtitlán. A queda de Tenochtitlán veio com a captura do tlatoani Cuauhtemoc e sua execução em 1525, marcando assim o fim do império asteca.

Hernán Cortés disparando canhões contra rebeldes espanhóis que pegaram seu navio

15

TRADIÇÕES E HERANÇAS

SÉCULOS APÓS AS CONQUISTAS, OS DESCENDENTES DO IMPÉRIO ASTECA AINDA BUSCAM SEUS DIREITOS

Depois da chegada dos espanhóis e da conquista do povo asteca, o México se tornou colônia espanhola até o ano de 1810, quando os mexicanos se rebelaram contra os espanhóis.

A independência mexicana foi proclamada em 1821, após uma longa guerra com os europeus. Contudo, muitas terras ainda pertenciam aos descendentes dos conquistadores espanhóis originais, que encamparam essas grandes fazendas séculos antes da guerra e da independência.

Com isso, os nativos mexicanos trabalhavam em regime de grande escravidão nessas propriedades que se chamavam *haciendas*. A pobreza e as péssimas condições de vida causaram uma série de insurgências e rebeliões no início do século XX.

Em 1910, o México passou por uma guerra civil que opôs muitos grupos e durou mais de uma década. Em 1917, com a aprovação de uma nova constituição, as pessoas nativas do México passaram a ter os mesmos direitos dos descendentes dos espanhóis.

A BUSCA POR DIREITOS

Mesmo com a independência mexicana e a guerra civil tendo determinado uma série de direitos para os nativos, as condições ainda eram distantes daquilo que os mexicanos realmente estavam buscando. A distinção econômica entre classes na metade do século XX ainda era muito grande.

Em 1994, um grupo de indígenas começou uma rebelião e um movimento contra a pobreza dos nativos no México. O grupo se chamava Exército de Libertação Nacional Zapatista, em homenagem ao herói Emiliano Zapata (1879 – 1919) que lutou na primeira guerra civil mexicana. O movimento ainda está ativo e sua sede está no estado de Chiapas, na selva de Lacandon. Os zapatistas lutam pelo direito de terras e igualdade para os indígenas do México.

Um grupo indígena de falantes da língua Nahua, originário do estado mexicano de Guerrero, se levantaram nos anos 1990 e entraram na justiça a fim de também garantir os seus direitos. Diferentemente dos zapatistas, o grupo só combate por meios legais e aprovados pela lei.

Apesar dos esforços do presidente mexicano na época Vicente Fox, eleito em 2001, o diálogo não rendeu muitos resultados e mesmo com algumas leis aprovadas a favor dos indígenas a luta ainda continua.

A POPULAÇÃO MEXICANA

A população mexicana possui suas distinções, principalmente com relação ao nível de renda e às desigualdades sociais. Contudo, a maioria da população é composta por mestiços.

Essa população é assim chamada por ter em suas características físicas e em seu desenvolvimento a mistura entre os europeus e espanhóis que vieram na época do descobrimento com os indígenas que viviam já na América Central.

OS ASTECAS HOJE

Existem ainda hoje algumas pessoas que clamam ser descendentes dos astecas. Mesmo tendo algum tipo de ancestral espanhol ou possuindo características que misturam as duas civilizações, essas pessoas possuem muito orgulho de se proclamarem descendentes dos astecas. Nahuatl, a língua dos astecas, ainda é falada por mais de um milhão de pessoas no Vale do México, coexistindo com o espanhol e outras línguas indígenas.

Muitos dos descendentes dos astecas vivem na Cidade do México e na região central do país, onde um dia foi a capital asteca de Tenochtitlán. Contudo, muitas dessas pessoas também foram para outros países. Alguns descendentes vivem nos Estados Unidos, por exemplo, e ainda falam a língua dos astecas.

Eles aprenderam como produzir roupas da maneira antiga e à mão, bem como as canções e os rituais de seus ancestrais. Em feriados específicos, essas pessoas se juntam e fazem danças típicas dos astecas enquanto usam cocares adornados com penas.

O DIA DOS MORTOS

Além dos diretos descendentes do povo asteca, algumas de suas tradições mesmo diluídas com os costumes europeus ainda sobrevivem até hoje. Uma delas é vista nas comemorações do "Dia de los Muertos", data na qual os mexicanos celebram a vida e o legado das pessoas que já partiram com comidas, bebidas e atividades que os mortos apreciavam enquanto estavam vivos.

Historiadores acreditam que o costume possua mais de 3 mil anos e venha desde o tempo dos totonacas, maias e astecas. Com a chegada dos espanhóis e do cristianismo, as datas do ritual indígena de honra aos mortos coincidiram com a data cristã do Dia de Todos os Santos, o que fez com que se mesclassem e se confundissem.

Os símbolos mais comuns do Dia dos Mortos são as caveiras e os esqueletos, contudo, a pintura corporal e o uso de maquiagem para simbolizar as caveiras também são muito comuns.

TRADIÇÕES E HERANÇAS

JUAN DIEGO, O SANTO ASTECA

Já em 1524, a catequese de diversos índios estava em progresso, mesmo o império asteca resistindo bravamente aos europeus. Entre esses índios estava o fazendeiro nomeado pelos frades após a conversão, Juan Diego (1474 – 1548).

O fazendeiro asteca estava, no dia 9 de dezembro de 1531, andando em sua vila para assistir o público em Tenochtitlán, quando ao passar perto das colinas Tepeyac ouviu ao longe uma voz feminina lhe chamar.

Subindo as colinas, o asteca deu de cara com uma bela jovem vestida como uma princesa asteca. Ela falou com ele na língua nahua e disse ser a Virgem Maria, a mãe de Jesus Cristo. A santa pediu a Juan Diego para que contasse ao bispo local sobre seu encontro e que construíssem uma igreja naquele exato local.

Ao contar para o bispo, o mesmo exigiu uma prova. Diego, então, foi correndo ao local em que viu a santa e como prova divina a Virgem Maria deixou rosas damascenas, que só podiam ser encontradas na Espanha, além do fato de ser inverno, época em que seria impossível encontrá-las também.

Diego colheu as rosas e ao mostrá-las ao bispo o botão das rosas se abriu e lá estava gravada a imagem de Virgem Maria. O local onde a igreja foi construída era o mesmo no qual estava um antigo templo asteca dedicado à mãe terra.

A imagem foi considerada um milagre e uma aparição de Nossa Senhora de Guadalupe, e em 2002 o papa João Paulo II canonizou Juan Diego como o primeiro santo indígena das Américas, em um discurso no qual o papa em algumas partes falou em nahua, em homenagem às origens de Juan Diego.

Representação em bronze do santo asteca Juan Diego

REFERÊNCIAS BIBLIOGRÁFICAS

Franchini, A. S. **As melhores histórias das mitologias asteca, maia e inca**. São Paulo: Ed. Artes e Ofícios, 2012

Obregón, Marco Antonio Cervera. **Breve história dos astecas**. Rio de Janeiro: Editora Versal, 2015

Phillips, Charles. **O mundo asteca e maia**. São Paulo: Editora Folio, 2002

Smith, Monica L. **The social construction of ancient cities**. Washington, DC: Editora Smithsonian Books, 2013

Somervill, Barbara A. **Empire of the aztecs**. Nova York: Chelsea House Publications, 2009

Soustelle, Jacques. **A civilização asteca**. Rio de Janeiro: Zahar Editora, 1987